Libérese de las adicciones

DAVID SIMON
DEEPAK CHOPRA

Libérese de las adicciones

BASADO EN LOS MÉTODOS DEL CENTRO CHOPRA

Traducción de
Adriana Arias de Hassan

GRUPO
EDITORIAL
norma

Bogotá, Barcelona, Buenos Aires, Caracas, Guatemala,
Lima, México, Panamá, Quito, San José,
San Juan, Santiago de Chile, Santo Domingo

Simón, David, 1951-
Libérese de las adicciones : el método del Centro Chopra para superar los hábitos destructivos / David Simón y Deepak Chopra ; traductor Adriana Arias de Hassan. -- Bogotá : Grupo Editorial Norma, 2009.
192 p. ; 23 cm.
ISBN 978-958-45-1777-7
Título original : Freedom from Addiction: The Chopra Center Method for Overcoming Destructive Habits
1. Abuso de substancias – Prevención 2. Autorrealización (Psicología) 3. Curación mental 4. Madurez emocional I. Chopra, Deepak, 1947- II. Arias de Hassan, Adriana, tr.
616.86 cd 21 ed.
A1205326

CEP-Banco de la República-Biblioteca Luis Ángel Arango

Título original:
Freedom from Addiction
The CHOPRA CENTER Method for Overcoming Destructive Habits
Una publicación de Health Communications, Inc.
3201 S.W. 15th Street Deerfield Beach, FL 33442-8190

Av. El Dorado No. 90-10, Bogotá, Colombia
www.librerianorma.com

Febrero de 2009

Impreso por: Nomos Impresores
Impreso en Colombia - Printed in Colombia

Cubierta, María Clara Salazar P.
Diagramación, Luz Jasmine Guecha Sabogal

Este libro se compuso en caracteres Garamond

ISBN 978-958-45-1777-7

Contenido

El programa para liberarse de las adicciones

Introducción

"Acepto que soy alcohólico", confesó Dan, "pero sencillamente no puedo obligarme a asistir a las reuniones de Alcohólicos Anónimos. En lugar de encontrar inspiración en las historias de los demás, me deprimo más y no me gusta la idea de tener que verme como una persona totalmente impotente el resto de mi vida".

Aunque Dan no había vuelto a beber hacía más de tres años, sentía la necesidad de ver su problema de alcoholismo desde otro ángulo. Deseaba ver si lograba redefinirse de una manera tal que propiciara su crecimiento personal.

Vivimos en un planeta que nos brinda muchas posibilidades de adicción. Como ser humano que es, seguramente usted habrá adoptado algún hábito que parecía atraerle, pese a tener efectos secundarios indeseables. Las personas tienen una gran capacidad de participar en comportamientos que les proporcionan un placer momentáneo, para luego cobrar un precio emocional o físico. Aunque son pocas las personas que se inyectan heroína o fuman bazuco o *crack*, muchos de nosotros podemos comer o beber en exceso, fumar cigarrillo, comprar compulsivamente cosas que no necesitamos, jugar un dinero adquirido con esfuerzo o tomar otros tipos de decisiones que no contribuyen a nutrir nuestro cuerpo, nuestra mente o nuestro espíritu.

En efecto, la adicción es el problema más generalizado de nuestra sociedad. Las personas adictas y sus familias experimentan un sufrimiento emocional y físico incalculable. Los costos directos e indirectos de la adicción superan los centenares de miles de millones de dólares en el mundo entero. No obstante, estamos perdiendo la "guerra contra las drogas", porque no hemos sabido reconocer que el enemigo es un aspecto oculto de nosotros mismos, un deseo subconsciente de sacrificar la paz duradera en aras de una gratificación transitoria. Este libro es nuestro esfuerzo por replantear el conflicto que rodea a la adicción y ampliar nuestras posibilidades de alcanzar una paz perdurable.

¿Qué hay de nuevo en materia de recuperación?

Durante los últimos setenta años, millones de personas ansiosas por superar sus comportamientos adictivos se han embarcado en un programa de doce pasos. Los doce pasos, planteados inicialmente como los pilares fundamentales de los Alcohólicos Anónimos (AA), han sido adoptados por muchos otros grupos de apoyo, entre ellos Narcóticos Anónimos, Cocainómanos Anónimos, Sexoadictos Anónimos, Deudores Anónimos, Desórdenes Alimentarios Anónimos y Adictos al Trabajo Anónimos. Los programas de doce pasos constituyen un apoyo valioso para quienes pueden comprometerse con los doce principios básicos y acogerse a la comunidad de las demás personas que libran batallas personales contra sus propios demonios.

Sin embargo, los doce pasos no son para todo el mundo. Para algunas personas, los visos religiosos son incompatibles con sus creencias personales, mientras que para otras, no son lo suficientemente cercanos a la religión. La razón que más frecuentemente oímos en el Centro Chopra sobre la incompatibilidad con los AA es el énfasis que hace este programa en la impotencia personal. La mayoría de las filosofías seculares y religiosas destacan el principio de que cada uno de nosotros es responsable por las decisiones que toma en la vida. Por su parte, el programa de los doce pasos exige reconocer un estado de impotencia que algunas personas no pueden ni desean aceptar. Hay quienes consideran insostenible la noción de que las personas con malos hábitos deben considerarse víctimas de por vida de una enfermedad incurable. Para quienes creen que el libre albedrío es una característica que distingue a los seres humanos, el hecho de reconocer la pérdida de ese libre albedrío frena el proceso de recuperación aun antes de comenzar.

La respuesta de los doce pasos a esta crítica es que los adictos pierden la capacidad para elegir a causa del enorme impedimento que su adicción representa. Así, el primer paso consiste en reconocer que el adicto es impotente frente a su adicción, mientras que el segundo paso implica aceptar la idea de que se necesita un poder superior para recuperar la cordura.

Nosotros consideramos que es posible conciliar los opuestos en vez de optar por la impotencia. La filosofía y el enfoque del Centro Chopra frente a la adicción destaca la paradoja que toda vida ansía resolver: el conflicto aparente entre nuestra individualidad y nuestra universalidad.

La paradoja de la individualidad frente a la universalidad

La vida puede llegar a ser difícil y hay momentos en los que sentimos el apremio de aliviar rápidamente la angustia. Los comportamientos mediante los cuales anestesiamos transitoriamente el dolor y la ansiedad de la pérdida, la desilusión, la separación, la alienación, la frustración o la soledad pueden convertirse en hábitos y adicciones que convierten el alivio temporal en sufrimiento duradero. Este impulso natural de hacer o ingerir lo que sea necesario para aliviar el sufrimiento es la base de la adicción. Nuestro propósito es ofrecer mejores alternativas para enfrentar las tribulaciones y tristezas de la vida.

Como personas, todos tenemos intenciones y deseos concretos, que tratamos de manifestar a través de nuestras decisiones y nuestros actos. Desarrollamos hábitos de comportamiento como parte del anhelo de sentirnos seguros, de fortalecer nuestro amor propio y de obtener gratificación sensorial, poder y bienes materiales. Esas son las necesidades de nuestra individualidad, que tratamos de satisfacer con cosas que están fuera de nosotros. Sin embargo, en otro nivel, reconocemos que el vacío interior no se puede llenar desde afuera. Nuestra compulsión por adquirir, alcanzar, lograr y tener no podrá proporcionarnos paz duradera ni satisfacción interior. La vida espiritual busca integrar el anhelo de satisfacer nuestras necesidades individuales a través del poder que da la intención de alcanzar un estado interior de paz y contento generado a través de la entrega. Se necesitan destreza y maestría para saber cuándo ejercer la voluntad y cuándo aceptar las cosas tal como son.

El proceso de modificar los hábitos desde la perspectiva del Centro Chopra

Si usted conduce su automóvil todos los días por el mismo camino destapado, con el tiempo hará surcos profundos que le impedirán maniobrar. A menos que preste atención y tome conciencia, su automóvil seguirá siempre los mismos surcos e irá reforzándolos. Si desea abandonar la rutina, tendrá que elegir conscientemente otro camino y reforzarlo hasta que se convierta en su nuevo recorrido. De la misma manera, los principios de este libro ofrecen un nuevo camino para recorrer: un camino hacia la libertad.

Claro está que no todos los hábitos son nocivos. Hacer ejercicio todos los días, consumir alimentos sanos, interpretar música, practicar yoga, meditar, trabajar en el jardín, usar la seda dental y comunicarse con conciencia son hábitos que merecen cultivarse y que generan efectos secundarios positivos. Algunos hábitos reafirman la vida mientras que otros la menoscaban. Nuestro desafío es identificar aquellos hábitos que podrían ser destructivos, comprender las necesidades que los motivan, tomar la decisión consciente de liberarse de ellos y finalmente reemplazarlos por alternativas más sanas. Nos gustaría que usted se convenciera de la conveniencia de cambiar sus hábitos nocivos por otros que sean un tributo a la vida.

Hemos venido explorando la relación entre el cuerpo, la mente y el espíritu desde hace más de treinta años. El Centro Chopra, fundado hace más de diez años, es un lugar propicio para la sanación y la transformación. Brindamos atención a las personas que viven crisis físicas, emocionales y espirituales. Conocemos el sufrimiento que pueden experimentar los seres humanos y el poder del alma para despertar el poder innato para recuperarse.

También sabemos que, con mucha frecuencia, nuestra desgracia es producto de nuestras propias decisiones. Bien sea consciente o inconscientemente, las personas caen repetidamente en unos patrones de comportamiento que llevan al sufrimiento. Los seres humanos son inmensamente creativos cuando se trata de negar las consecuencias negativas de sus compulsiones. En efecto, este talento de la negación es generalizado.

El Centro Chopra se fundó sobre la creencia de que todos compartimos una unidad esencial que trasciende nuestra diversidad. Cada uno de nosotros es una expresión de la misma inteligencia creadora presente en todas las formas y fenómenos del mundo. Cuando perdemos nuestra conexión con esa unidad, entramos en un estado de tormento emocional o físico. Tan pronto volvemos a la unidad, recuperamos la salud. La experiencia humana es un juego de escondidillas en el cual nos perdemos a veces para luego reencontrarnos. Nuestra función en el Centro Chopra es ayudar a las personas a retirar los velos que les impiden ver su unidad intrínseca, su estado natural de santidad. Con ese descubrimiento, las personas adquieren la capacidad para tomar decisiones concordantes con su propósito superior.

Los hábitos malsanos engendran sufrimiento, aunque hay momentos en los que nos parece insoportable la vida, y para no verla de frente, recurrimos a atajos casi irresistibles. Infortunadamente, muchas veces sucede que mientras más rápido actúa el remedio, más corto es el alivio, y mientras más corto es el alivio, más fácil se desarrolla una adicción. El problema con las adicciones es que sus efectos positivos menguan a medida que aumentan los riesgos, es decir, cada vez pagamos más por menos. Sin embargo, no podemos aspirar a que las personas puedan sencillamente decir "no". Reconocemos las necesidades que llevan a las adicciones y ofrecemos alternativas creativas para satisfacerlas.

Podría decirse que hay algo inherente al alma humana que la lleva a buscar otro punto de vista. El novelista inglés Aldous Huxley afirmó que "Siempre y en todas partes, los seres humanos han sentido que hay algo equivocado en la sensación de sentirse aislados y no parte de algo más, algo más grande, algo 'mucho más profundamente conectado' según la frase de Wordsworth. La liberación que se logra al trascender el ser aislado es tan impactante que, aunque se logre a través de la náusea, el frenesí, los problemas, las alucinaciones y el coma, la experiencia inducida por la droga es intrínsecamente divina sea para los primitivos o para los más civilizados".[1]

El anhelo de ampliar nuestra sensación de ser es un impulso medular humano. Sin embargo, alterar transitoriamente las fronteras para apenas regresar al poco tiempo a un estado mucho más restringido no sirve de mucho. Lograr una transformación genuina de la identidad requiere de práctica y conocimiento. Liberarse de los hábitos restrictivos para reemplazarlos por otros que amplíen nuestras fronteras es algo que requiere de atención e intención. Quisiéramos instar al lector a comprometerse con este proceso de deshacerse de sus viejos hábitos y comenzar de nuevo.

Equilibrar desde afuera

Las adicciones cumplen un propósito. Cuando las personas desean un cambio en su estado emocional y no saben cómo generarlo desde adentro, buscan algo en el exterior. Los químicos psicoactivos pueden modificar el estado de ánimo o la emoción, pero sólo transitoriamente. Cuando el efecto de la droga desaparece, el descontento, el malestar o la ansiedad suelen ser peores que antes. Entonces la persona debe elegir entre buscar una transformación más duradera u optar por otra dosis de alivio de corta duración.

El alcohol y las drogas consumen una cantidad enorme de recursos. Si se emplean con prudencia, pueden darle un sabor único a la vida, pero si se abusa de ellos, pueden sumir en la desgracia a las personas, las familias y las comunidades. Durante siglos, las sociedades han tratado de reducir los perjuicios que generan los comportamientos adictivos.

El adagio de que "Mientras más cambian las cosas más permanecen iguales" le viene a propósito a la terapia contra la adicción. La historia de los tratamientos para la adicción se ha caracterizado por el entusiasmo por determinados enfoques y no tanto por la validación objetiva de los resultados. No ha sido posible encontrar una teoría unificadora ni un enfoque terapéutico universalmente aceptado. En la actualidad, lo mismo que en el pasado, las fuerzas que abogan por la penalización de la adicción chocan contra quienes están convencidos de que la adicción debe verse desde el punto de vista biológico y tratarse como una enfermedad. Este argumento es crucial porque cerca de una tercera parte de los internos en las cárceles federales están condenados por delitos relacionados con las drogas, mientras que la "guerra contra las drogas" le cuesta a nuestra sociedad más de $50 000 millones de dólares cada año.

Aunque los esfuerzos para encontrar los factores biológicos o genéticos que expliquen el alcoholismo o la adicción a las drogas han rendido frutos, también ha quedado claro que las contribuciones hereditarias y bioquímicas son complejas y variables. La mayoría de los expertos ya no creen que podamos encontrar una explicación genética simple para la adicción y tampoco una bala mágica para vencer a los demonios.

A pesar de estas dificultades, creemos que las personas pueden crearse a sí mismas de nuevo. Hay personas que tienen la motivación suficiente para deshacerse de la imagen que tenían de sí mismas y a la que estaban acostumbradas, pero que ya no es eficaz. Así, están habilitadas para considerar una perspectiva más amplia. De una nueva perspectiva surgen nuevos procesos de pensamiento y una nueva fisiología. Los seres humanos somos capaces de aprender trucos nuevos.

Necesidades y creencias medulares

Si está leyendo estas palabras porque cree sufrir de una adicción nociva, la primera compulsión de la que debe liberarse es la del desprecio por usted mismo. En lo que se refiere a las necesidades fundamentales, las personas adictas no son distintas de las demás. La diferencia principal es que han optado por una forma socialmente inaceptable o biológicamente indeseable de satisfacer sus necesidades. No empeore las cosas desperdiciando el tiempo o la energía en denigrarse. A cambio, utilice esa energía para sanar y transformarse.

La vida es aprendizaje. El conocimiento que adquirimos nos ayuda a satisfacer nuestras necesidades y deseos, bien sean materiales, físicos, emocionales o espirituales. Si nos encontramos en una situación que engendra sufrimiento para nosotros o para los demás, por lo general, es señal de que debemos aprender algo nuevo, como comprender algo por primera vez, o reemplazar una noción equivocada por un conocimiento más útil.

La experiencia que hemos tenido con las personas que luchan con hábitos malsanos es que suelen portar una serie de nociones erradas acerca de la naturaleza de su enfermedad. El primer paso en el camino hacia la sanación y la transformación es reemplazar esas creencias falsas por otras más útiles.

Por favor, lea varias veces la lista de creencias auténticas hasta que perciba su verdad inherente. Una vez que reconozca su legitimidad, memorícelas.

- Hago lo mejor que puedo con los recursos psicológicos y espirituales con los que cuento.
- No deseo lastimar a nadie, menos aún a mí mismo, como consecuencia de mi adicción.
- Aunque soy experto en racionalizar mi adicción, en el fondo de mi ser sé que mi hábito no le hace bien a mi cuerpo, a mi mente o a mi alma.
- En algún nivel reconozco que mi adicción es un sustituto del amor.
- Me liberaría de este hábito nocivo para mi vida si pudiera encontrar un sustituto benéfico igual o más eficaz.
- Aunque a veces tengo dudas, en lo más hondo de mi ser sé que soy capaz de liberarme de este hábito malsano y reemplazarlo por otros más benéficos.
- Buscar alivio a través de las sustancias es una forma de manifestar mi búsqueda de paz espiritual.

No le pedimos que convierta estas frases en afirmaciones. Sólo le pedimos que reconozca su verdad inherente. Repasémoslas una por una.

1. **Hago lo mejor que puedo con los recursos psicológicos y espirituales con los que cuento.**

   Esta es una verdad medular de la vida. Todos hacemos lo mejor que podemos según la conciencia que tenemos sobre nuestras necesidades y nuestros medios para satisfacerlas. Una mujer que sale de compras y suma varios cientos de dólares a una tarjeta de crédito sobrecargada ya manifiesta un comportamiento compulsivo porque no encuentra otra forma de calmar su ansiedad. El ejecutivo tenso que bebe un quinto vaso de vodka al llegar a su casa lo hace porque no ve otra forma eficaz de apaciguar su agitación.

   Al ver con mayor claridad las consecuencias de nuestras decisiones, podemos elegir con mayor conciencia. La creatividad se suprime cuando vemos las cosas desde una perspectiva restringida. La creatividad florece cuando podemos ver nuestras dificultades desde una perspectiva más amplia. En todo este libro exploraremos los medios para ampliar la conciencia.

2. **No deseo lastimar a nadie, menos aún a mí mismo, como consecuencia de mi adicción.**

   Puesto que el comportamiento adictivo entraña el potencial de generar mucho sufrimiento tanto para los adictos como para quienes los rodean, a veces pareciera como si hubiera una intención destructiva en el fondo. Eso no es verdad. Las consecuencias nocivas del comportamiento adictivo son un efecto secundario no intencional del intento por aliviar el dolor de la inseguridad, la soledad o la sensación de no valer nada. Si una persona logra encontrar otras fuentes de alivio para su sufrimiento, puede liberarse tranquilamente del hábito que podría tener consecuencias destructivas. Nuestro propósito es ayudarle a encontrar alternativas aceptables para su adicción a fin de que no experimente unas consecuencias dolorosas.

3. **Aunque soy experto en racionalizar mi adicción, en el fondo de mi ser sé que mi hábito no le hace bien a mi cuerpo, a mi mente o a mi alma.**

   La mente humana tiene una capacidad asombrosa para justificar los comportamientos que pueden no ser sanos para la vida. Desde "No necesito usar el cinturón de seguridad porque el tramo es muy corto" hasta "Medio paquete de cigarrillos al día no es peor que respirar el aire contaminado de la ciudad", cada uno de nosotros desarrolla un repertorio de defensas psicológicas para justificar comportamientos que realmente no son buenos. Cuando acallamos nuestra turbulencia interna y bajamos la guardia para enfrentar la verdad, podemos resolver las discusiones que tenemos con nosotros mismos y armonizar nuestras decisiones con nuestro propósito más elevado. Le brindaremos formas de calmar esa agitación mental que le facilita el proceso de autoengaño.

4. **En algún nivel reconozco que mi adicción es un sustituto del amor.**

   Lo contrario del amor es la separación. Cuando nos sentimos conectados con algo que va más allá de nuestra sensación de ser, nos invade un sentimiento de seguridad, tranquilidad y equilibrio. Cuando no tenemos asociaciones seguras y plenas, experimentamos ansiedad, hostilidad y depresión. Los comportamientos adictivos y las sustancias son malos sustitutos del amor que caracteriza a las relaciones interpersonales sanas. Aprender a sanar nuestras relaciones más importantes y a cultivar las destrezas para la comunicación consciente puede servirnos para alcanzar la paz interior y así desplazar la necesidad de medicarnos.

5. **Me liberaría de este hábito nocivo para mi vida si pudiera encontrar un sustituto benéfico igual o más eficaz.**

   Una persona que no tenga otro medio de transporte no se deshará de su automóvil destartalado hasta tanto se le presente un modelo más nuevo en buen estado. No podemos esperar que las personas se deshagan de los comportamientos tóxicos que les brindan algo de consuelo sin ofrecerles algo a cambio. En todo el libro ofreceremos alternativas sanas para reemplazar los hábitos nocivos. Aunque no brinden el alivio instantáneo y dramático de un comportamiento adictivo, servirán de base para el desarrollo evolutivo y el éxtasis emanado del interior.

6. **Aunque a veces tengo dudas, en lo más hondo de mi ser sé que soy capaz de liberarme de este hábito malsano y reemplazarlo por otros benéficos.**

   Muchas personas atrapadas en la adicción realmente dudan que poseen los recursos internos para sanar. Durante nuestros años de ejercicio profesional como médicos, hemos reconocido que las personas que no están listas para cambiar no lo hacen. Por fortuna, también hemos visto que cuando una persona tiene claridad sobre su deseo de cambiar de vida, nada se interpone en su camino.

   Si este es el momento en que usted está dispuesto a comprometerse a sanar y transformarse, es porque tiene en su interior la capacidad de manifestar la clase de vida que desea. La mecánica para hacer realidad un deseo es inherente a la intención. El hecho de que esté leyendo estas palabras significa que, en algún rincón de su ser, usted ha visualizado el cambio que desea manifestar.

7. **Buscar alivio a través de las sustancias es una expresión de mi búsqueda espiritual de la paz.**

   El propósito de todo comportamiento es el consuelo y la paz interior. Bien sea que busque consuelo en la meditación, en los brazos de su cónyuge, en un cigarrillo o en un martini, la intención es la misma. Adoptamos aquellos comportamientos que alivian la ansiedad y nos hacen sentir más a gusto con nosotros mismos.

Las personas con comportamientos adictivos suelen tener una conciencia muy clara de las paradojas irreconciliables de la vida y, por tanto, sienten el dolor existencial más intensamente. Nuestro propósito es ayudarle a reorientar su deseo para que, en lugar de buscar alivio a través de comportamientos destructivos, halle la paz interior a través de una práctica espiritual que rinda tributo a la vida.

Nuestra energía vital es preciosa. Cuando la canalizamos conscientemente, podemos manifestar nuestras intenciones más profundas de creatividad y libertad. A través de nuestro trabajo diario con nuestros visitantes del Centro Chopra para el Bienestar, nos hemos convencido de que cuando una persona está lista para cambiar un hábito que consume su energía por otros que aviven su vitalidad esencial, el proceso de sanación y transformación es irrefrenable.

1

Imagine su vida sin adicciones

Deborah había tenido un año muy difícil. Su madre había muerto recientemente tras una larga enfermedad y, al poco tiempo, su esposo le anunció que la dejaría. Precisamente cuando sentía que su vida se deshacía en pedazos, recibió un impacto en la parte posterior de su automóvil mientras esperaba el cambio del semáforo y sufrió una lesión por latigazo.

Aunque las imágenes radiológicas revelaron solamente unos cambios degenerativos leves, el dolor del cuello la incapacitó. Tras ensayar varios medicamentos, su médico familiar le recomendó Vicodin. Le agradó el efecto analgésico para su cuello y también para su sufrimiento emocional, y no tardó en llegar a consumir hasta doce tabletas al día, para lo cual solicitaba fórmulas a tres médicos distintos.

Reconoció que tenía un problema cuando pasó tres días sin movimientos intestinales y vio que dedicaba más tiempo a encontrar la forma de abastecerse de tabletas que a pensar en el dolor para el cual requería el tratamiento.

Una expresión antigua de la tradición yogui dice: "No estoy en el mundo; el mundo está en mí". Aunque a primera vista esta afirmación audaz podría parecer soberbia, para nosotros es una expresión clara de la realidad humana. En cada instante de la vida ocurre simultáneamente un sinnúmero de cosas. Mientras usted lee estas palabras mueren y nacen personas en el mundo. Hay personas que están haciendo el amor mientras otras están peleando acaloradamente. Una persona recibe un ascenso mientras que otra pierde su empleo. Alguien inicia un negocio mientras que otra persona se declara en quiebra. Hay personas que celebran mientras otras sufren. En cada momento, se desenvuelve una multitud insondable de experiencias posibles. Sin embargo, cada uno de nosotros se ocupa de sus propios intereses sin percatarse de lo demás.

Piénselo de esta manera: en un recorrido por una ladera boscosa, habrá momentos en que usted no podrá ver la cima de la montaña. Sin embargo, usted lleva en su interior el mapa de lo que ha recorrido, del lugar en el que se encuentra y del sitio a donde desea llegar. Este mapa interno de su mundo le permite navegar en pos de sus metas. Gracias a su atlas interno, usted enfoca su atención sólo en los marcadores externos que refuerzan su visión del mundo y filtra aquellos que no lo hacen.

¿Dónde ocurre ese proceso selectivo de selección y atención? En la conciencia. A medida que absorbemos la materia prima sensorial del mundo, los sonidos, las sensaciones, los paisajes, los sabores y los olores se transmiten en forma de impulsos de energía e información a través de las redes neurales de nuestro sistema nervioso. De alguna manera, creamos a partir de toda esa energía e información un cuadro del mundo en cuatro dimensiones, que nos parece real. En la conciencia, creamos un mundo exterior que no podemos medir objetiva ni científicamente, pero que nos parece muy real.

Reconocer que participamos en la creación de nuestra realidad es algo que entraña un poder enorme. Significa que podemos abandonar la idea de que nuestra vida está predeterminada de manera inamovible y abrirnos a la posibilidad de que, independientemente de lo que nos haya sucedido hasta ahora, estamos en capacidad de crear algo nuevo. Este cambio de conciencia es el primer paso para manifestar los deseos más profundos de felicidad, salud y amor.

Una vez reconocemos las posibilidades de crear una realidad distinta, se abre ante nosotros la oportunidad y asumimos la responsabilidad de imaginar la realidad que deseamos crear. Así, a pesar del libreto que haya seguido hasta ahora, usted tiene la capacidad de comenzar a escribir un nuevo diálogo. Aceptar que tiene la autoridad sobre su vida significa asumir el papel de escritor y también de protagonista de su propia historia.

Escuche su voz interior

Para que le sea más fácil visualizar el desenvolvimiento futuro de su vida, piense en los temas que aparecen a continuación, diseñados para ayudarle a ir más allá de su libreto habitual y comenzar a pensar auténticamente en lo que desea y está en capacidad de crear en su propia vida. A fin de derivar el mayor beneficio de este proceso, lea el tema y reflexione sobre las preguntas. Después, cierre los ojos, respire lenta y profundamente y lleve su atención al corazón. Desde allí, contemple la pregunta y trate de oír las ideas que lleguen a su conciencia desde un nivel más profundo de su interior.

Muchas veces es útil anotar las ideas en un diario. El proceso de documentar los pensamientos y los sentimientos ayuda a ampliar la perspectiva y como catalizador para la sanación y la transformación.

1. ¿Cuál necesidad busca satisfacer con su adicción?

La motivación de todos los comportamientos es el deseo de aumentar el bienestar o disminuir el sufrimiento. El motor de los comportamientos adictivos es la noción de que no hay otro camino para satisfacer ciertas necesidades.

Preguntas para reflexionar:

- ¿Puedo identificar la necesidad que trato de satisfacer con mi hábito?
- ¿Creo estar en capacidad de reemplazar un hábito nocivo por otro sano?
- ¿Creo que tendré que abstenerme totalmente de mi hábito nocivo, o que podré manejar mi hábito a fin de reducir sus efectos destructivos?

2. ¿Es la adicción una enfermedad o una decisión propia?

La pregunta eterna en cuanto al tema de las adicciones es si los comportamientos adictivos son una enfermedad susceptible de tratarse como una enfermedad médica crónica, o si son unos hábitos condicionados que pueden modificarse a través de la intención y la voluntad.

Preguntas para reflexionar:

- ¿Creo que sufro de una enfermedad sobre la cual no tengo control alguno, o creo tener cierto control sobre mi hábito?
- ¿Estoy viviendo consecuencias negativas a causa de mis decisiones, o creo que he podido manejar bien las cosas?
- ¿Estoy preparado para cambiar mi forma de pensar, de actuar y de relacionarme si eso es lo que necesito para liberarme de mi hábito?

3. ¿Repito los mismos comportamientos y aún así espero resultados diferentes?

Los comportamientos repetidos se perpetúan a sí mismos. Para salir del círculo vicioso, es necesaria una atención constante y consciente.

Preguntas para reflexionar:

- ¿Cuáles patrones de mi vida persistirán si no hago el esfuerzo consciente de cambiarlos?
- ¿Cómo debo cambiar mi manera de pensar para cambiar mis comportamientos?
- ¿De qué manera sabotean mis hábitos mis esfuerzos por cambiar de camino?

4. ¿Qué merezco?

Nuestras ideas medulares acerca de si merecemos ser felices o sufrir en la vida determinan nuestros comportamientos. Si bien es difícil cambiar esas ideas de fondo, debemos hacerlo a fin de dejar de tomar decisiones que nos producen sufrimiento.

Preguntas para reflexionar:

- ¿Merezco sufrir, o experimentar alegría?
- ¿Hay algo malo en mí que me hace merecer el sufrimiento?
- ¿Estoy preparado para cambiar mis creencias e iniciar el viaje hacia la sanación?

5. La sabiduría del cuerpo

El cuerpo posee una sabiduría profunda adquirida a través de millones de años de evolución. Es integrador, armonioso, primitivo y sabio. Cuando accedemos a la sabiduría del cuerpo, podemos comenzar a tomar decisiones sanas.

Preguntas para reflexionar:

- Si escuchara a mi cuerpo, ¿qué me estaría diciendo?
- ¿Qué me dice mi cuerpo acerca de las consecuencias de corto plazo que experimento a causa de mi hábito?
- ¿Qué me dice mi cuerpo acerca de las consecuencias de largo plazo que experimento, o a las cuales temo, a causa de mi hábito?

6. ¿Estoy abierto a recibir ayuda?

Hay momentos importantes en la vida cuando necesitamos ayuda para curarnos física y emocionalmente. A algunas personas les es difícil reconocer que necesitan ayuda, pero es esencial que lo hagan a fin de iniciar el proceso de sanar.

Preguntas para reflexionar:

- ¿Puedo curar mi adicción sin ayuda de nadie?
- ¿Podré permitir que una persona suficientemente cercana me ayude?
- ¿Qué temo que pueda suceder si reconozco que necesito ayuda para sanar?

7. Mi historia de ayuda

Las personas que luchan con sus comportamientos adictivos se desaniman a causa de sus intentos previos por deshacerse de su adicción. Al identificar las dificultades del pasado y los incentivos del presente, se abre una puerta hacia la sanación.

Preguntas para reflexionar:

- ¿He buscado anteriormente ayuda profesional para mi adicción?
- ¿Cuáles fueron los factores que llevaron a la recaída o que podrían llevarme a recaer nuevamente?
- ¿Es diferente la situación ahora? ¿Por qué?

8. Causas y efectos relacionados con la familia

No es responsabilidad de los hijos fijar sus propios límites. Nuestras primeras experiencias respecto a los límites pueden generar sufrimiento o inseguridad. Tomar conciencia de esas primeras experiencias o de nuestros mecanismos para manejar el sufrimiento puede ayudarnos a sanar.

Preguntas para reflexionar:

- ¿De qué manera me sirvió mi primera experiencia con la adicción para manejar mi relación con mi familia?
- ¿Cuáles rasgos de mis padres he rechazado o interiorizado?
- ¿Cómo estoy proyectando las historias de mi infancia en el presente?

9. Ecología

El medio ambiente influye sobre la persona y la persona influye sobre el ambiente. Comprender la ecología de nuestra vida y la adicción nos da poder para cambiar.

Preguntas para reflexionar:

- ¿Cómo contribuye el ambiente a reforzar mi hábito?
- ¿Reconozco la necesidad de alejarme de ciertas personas y abandonar ciertas cosas a fin de hallar la paz duradera?
- ¿Puedo imaginar una vida en la que no participen las personas o los ambientes que refuerzan mis comportamientos adictivos?

10. Problemas de confianza

Los comportamientos adictivos son nocivos, pero también son fiables. Muchas veces las personas dicen que el cigarrillo o el vino son sus mejores amigos. Para aprender a relacionarse más íntimamente con los demás, es necesario sanar los problemas relacionados con la confianza.

Preguntas para reflexionar:

- ¿Cuál ha sido mi experiencia con la confianza?
- ¿Cuáles cualidades de otras personas me permitirían confiar en ellas?
- ¿Cuáles cualidades estoy dispuesto a expresar a fin de poder ganarme la confianza de los demás?

11. Mis mecanismos de defensa

El primer paso para resolver un problema es reconocerlo. Todos movilizamos mecanismos de defensa para evitar enfrentar los asuntos que nos provocan sufrimiento.

Preguntas para reflexionar:

- ¿Cuáles defensas psicológicas he movilizado que me han impedido enfrentar mi comportamiento adictivo?
- ¿De qué manera me han servido o me han perjudicado estas defensas?
- ¿Ha llegado el momento de bajar mis defensas? ¿Cuáles pueden ser las consecuencias?

12. Las consecuencias de mi adicción

Tenemos control sobre nuestras decisiones, pero no así sobre las consecuencias de las mismas. Al poner toda nuestra atención en nuestras decisiones del momento, aumentamos las probabilidades de que las consecuencias sean favorables para nuestra evolución.

Preguntas para reflexionar:

- ¿Cuáles circunstancias de mi vida presente son consecuencias imprevistas de mis decisiones pasadas?
- ¿Pude haber previsto las consecuencias cuando tomé esas decisiones?
- ¿Cuáles opciones tengo ante mí ahora? ¿Puedo prever las consecuencias que podrían generar?

13. Patrones

La mayoría de las personas tienen un patrón adictivo predilecto con hábitos secundarios que pueden no contribuir a su propósito superior en la vida.

Preguntas para reflexionar:

- Además de mi principal comportamiento adictivo, ¿cuáles otros hábitos perjudiciales reconozco?
- ¿Cuáles necesidades busco satisfacer con esos hábitos secundarios?
- ¿Puedo imaginar un estilo de vida sin esos hábitos primarios y secundarios perjudiciales?

14. El ansia

Los hábitos crean unos patrones emocionales y fisiológicos que refuerzan los anhelos tormentosos o ansias. Para evitar las recaídas, es preciso aprender a manejarlos hasta que desaparezcan.

Preguntas para reflexionar:

- ¿Cómo se siente el ansia?
- ¿Qué cosas han sucedido en el pasado que me han hecho sucumbir al ansia?
- ¿Qué puedo hacer de ahora en adelante para no dejarme llevar por el ansia?

15. La vivencia de la rabia y la ira

Cuando se violan los límites, se produce una reacción. La ira puede desempeñar un papel de adaptación en el intento por restablecer unos límites sanos. Infortunadamente, el sufrimiento del pasado suele provocar una ira que descargamos sobre nosotros mismos y contra otras personas inocentes.

Preguntas para reflexionar:

- ¿A qué se debe mi ira?
- ¿Cómo me lastima mi ira?
- ¿Cómo lastimo a los demás con mi ira?

16. La sensación de vergüenza y remordimiento

Todos hemos hecho cosas que nos han lastimado y han herido a los demás. Para sanar y transformarse, es esencial deshacerse de la vergüenza y el remordimiento.

Preguntas para reflexionar:

- ¿Qué cosa vengo cargando del pasado que ya no me sirve en el presente?
- ¿Puedo reconocer que hice lo mejor posible desde mi nivel de conciencia en ese momento?
- Si en ese momento hubiera sabido lo que sé ahora, ¿qué habría hecho diferente?

De ahora en adelante

Ahora que ha identificado el libreto de base que ha dirigido las decisiones de su vida, ya tiene usted la oportunidad de escribir el próximo capítulo de una manera más consciente. Piense que, independientemente de cómo haya llegado a este momento en el tiempo y el espacio, tiene la oportunidad de dar un paso nuevo en otra dirección. El Brihadaranyaka Upanishad nos dice lo siguiente:

> *Eres el deseo más profundo que te mueve.*
> *Tu deseo forjará tu voluntad.*
> *Tu voluntad forjará tus actos.*
> *Tus actos forjarán tu destino.*[1]

Reconozca con claridad sus intenciones y deseos más profundos a fin de aumentar la probabilidad de que su destino sea de paz, armonía y amor. Dedique tiempo suficiente a saborear estas preguntas y a prestar atención a la información, el conocimiento y la sabiduría emanados desde los aspectos más profundos de su ser.

1. ¿A cuál decisión me enfrento en este momento de mi vida?

Los seres humanos tenemos la capacidad de decidir. Este don del libre albedrío nos diferencia de los demás seres vivos. Destine tiempo a aclarar las alternativas que tiene ante sí en este momento. Observe que cada una de esas alternativas entraña determinadas consecuencias. Visualice las consecuencias de las alternativas y no deje de percibir las sensaciones de tranquilidad o malestar que se producen en su cuerpo al contemplar cada una de las alternativas. Estas sensaciones físicas son el intento del cuerpo por informarle acerca del posible desenlace de sus decisiones.

2. Si la felicidad duradera fuera el motor de mis decisiones, ¿cómo cambiaría mi vida?

A la mayoría de nosotros no nos enseñan a tomar nuestras decisiones con base en aquello que nos hace felices. La mayoría de nosotros aprendimos a decidir pensando en lo que nuestros padres, maestros o figuras de autoridad esperan de nosotros. Preste atención a su corazón para visualizar una vida motivada por la búsqueda de la auténtica felicidad.

3. Si el amor genuino y perdurable fuera el motor de mis decisiones, ¿cómo cambiaría mi vida?

El amor es el recuerdo de la unicidad en la cual los límites de nuestra individualidad son menos nítidos. El amor es la conexión entre todas las expresiones locales y la unidad básica de la cual emanan y a la cual regresan todas las cosas. Hay quienes dicen que el amor es el contrario del miedo.

Piense de qué manera podrían ser diferentes sus decisiones si las motivara el deseo de conectarse nuevamente con la fuente. En lugar de luchar desesperadamente por triunfar, realizarse, o adquirir cosas materiales a fin de conseguir la aprobación de los demás, seguramente dedicaría sus esfuerzos a aquellas cosas que le traerían paz y armonía. Visualice una vida motivada por el amor con la certeza de poseer la capacidad innata de generar ese producto renovable.

4. ¿Estoy dispuesto a dejar de creer que soy una víctima pasiva en la vida? ¿Estoy dispuesto a aceptar mi responsabilidad como participante en la creación de mi propio mundo?

Hay una historia de un hombre que deseaba instalarse en otro lugar. Acudió a consultar al sabio de la aldea en estos términos: "¿Qué clase de personas viven en este lugar?". Y el anciano le preguntó: "¿Qué clase de personas viven en tu lugar de origen?". El hombre respondió: "Muy difíciles. Nunca estaban cuando se necesitaban. Siempre perseguían algo y no eran dignas de confianza". El anciano le respondió: "Encontrarás esa misma clase de personas en esta aldea". Al oír estas palabras, el hombre reanudó su búsqueda.

Al poco tiempo, llegó a la aldea otro hombre que deseaba instalarse allí. También acudió al anciano sabio con quien sostuvo una conversación muy semejante. Cuando el anciano le preguntó por la clase de personas que vivían en el lugar de donde venía, el hombre respondió: "Mis antiguos conciudadanos eran encantadores. Eran personas honestas, dignas de confianza y siempre dispuestas a dar una mano". El anciano le afirmó que encontraría exactamente esa misma clase de personas en esa aldea.

Usted crea su mundo con sus pensamientos. Lo instamos a revisar sus creencias fundamentales y a buscar la forma de identificar aquellos elementos de sus experiencias que contribuyen a reforzar sus creencias. Las creencias son las ideas que consideramos ciertas. Si las suyas no le sirven, piense en cambiarlas por otras que sí le sirvan.

5. ¿Cuál es el propósito de mi vida?

¿Cuál es su aporte para el mundo? ¿Cuáles son los talentos únicos que lo distinguen? El concepto de *dharma* de la filosofía oriental da a entender que cada ser humano tiene algo único para ofrecerle al mundo. Cuando descubrimos nuestro *dharma*, expresamos nuestros dones al servicio de nosotros mismos y de las personas en quienes inciden nuestras decisiones.

Si no logra hallar su propósito, puede recurrir a ciertas pistas. Pregúntese cuáles cosas son muy naturales para usted. Hay personas muy buenas para trabajar con los niños. Otras son deportistas por naturaleza o muy buenas para las matemáticas. Si tiene un don artístico, piense en la manera de convertirlo en su trabajo. Sus talentos innatos pueden servirle de pista para saber cuál es su *dharma*.

Pregúntese qué es lo que más disfruta. Las cosas que le producen alegría encierran las semillas de su función en el mundo. Una buena pista para conocer su *dharma* es su forma de experimentar el tiempo. Si no hace más que mirar el reloj y contar los minutos para terminar y poder dedicarse a otra cosa, es probable que esa actividad no sea su verdadero *dharma*. Por otra parte, si le parece que el tiempo vuela cuando realiza alguna actividad, esa puede ser una pista importante de aquello a lo que debe dedicar su vida. De la misma manera que los deportistas mencionan estar "concentrados" mental, física y emocionalmente, cada uno de nosotros tiene la posibilidad de embeberse en lo que hace hasta tal punto que el tiempo pierde su dominio sobre nosotros. Construya una vida que le brinde la oportunidad de vivir con pasión.

Visualice el futuro

Para alcanzar la sanación y la transformación, es necesario visualizar una vida de equilibrio, vitalidad, significado y propósito. Así podrá alinear sus pensamientos, palabras y actos con sus intenciones de mejorar su vida. Visualice una vida en la cual toma decisiones acertadas, vive en armonía con las personas, los elementos y las fuerzas que lo rodean. Imagine que decide ofrecer a su cuerpo, su mente y su alma experiencias que los nutran en lugar de intoxicarlos. Imagine cómo sería su vida si viviera a su servicio y al servicio de los demás.

Establezca el compromiso de que cada uno sus actos en el mundo esté en armonía con esta visión de unicidad. Somos la suma total de los caminos que elegimos en la vida. Como seres creadores, estamos en capacidad de tomar decisiones propicias para la evolución y que reafirmen nuestro derecho de llevar una vida abundante en paz, amor y propósito.

2

Amplíe sus pasos hacia la libertad

"Los Alcohólicos Anónimos me salvaron la vida hace nueve años cuando toqué fondo", reconoció Sharon. "Ahora no siento deseo alguno de beber ni de utilizar metanfetaminas, pero me pregunto si tendré que definirme de por vida como alcohólica y drogadicta. Mis amigos de AA me dicen que ese cuestionamiento me puede llevar por una pendiente muy traicionera. Sin embargo, me pregunto si acaso pueda verme como un ser espiritual que tuvo un problema en algún momento, pero que ahora está en capacidad de establecer una conexión más profunda con Dios y consigo mismo sin necesidad de recurrir al alcohol o a las drogas".

Si usted tiene un problema de alcohol, drogas o alguna otra adicción es porque en algún momento tuvo una experiencia más placentera que amarga con la sustancia o con el comportamiento en cuestión. Quizás se emborrachó por primera vez cuando cursaba su primer año en la universidad, y, aunque vomitó en la fiesta y se despertó con dolor de cabeza al día siguiente, hubo algo en ese estado de inconciencia que le dejó una impresión positiva neta. Las impresiones grabadas en la conciencia dan lugar a los deseos y, en algún punto, los deseos motivan los actos, en un esfuerzo por revivir la experiencia de placer.

Con cada gratificación, la experiencia recluta más redes neurales del cerebro, con lo cual se refuerzan los patrones. Asimismo, las relaciones y actividades que refuerzan el hábito comienzan a predominar sobre las que no lo hacen. Por ejemplo, usted opta por pasar más tiempo en los lugares que refuerzan sus hábitos (bares, fiestas y casinos), lo cual afianza todavía más la impresión de la cual nació el deseo.

De esta forma, las experiencias generan patrones psicológicos y fisiológicos que afianzan los hábitos de comportamiento. A fin de modificar sus hábitos, usted debe reconocer el ambiente que usted ha creado y proceder a crear otra más sostenible y equilibrada.

Si usted ha construido su vida alrededor de un hábito que influye sobre todas las cosas, desde los amigos a quienes frecuenta hasta la música que prefiere, romper el patrón no es fácil. Quien se pierde en un laberinto quizás no logre salir si vaga sin propósito. La mejor forma de escapar de un laberinto es encontrar un punto de mira diferente desde afuera y desde arriba para comprender la trampa en la que se ha metido.

La expansión de la conciencia a través del conocimiento y la experiencia es la llave para abrir la puerta hacia la libertad. Transformar el punto de identidad interior, para pasar de un patrón de comportamientos condicionados a un campo de conciencia (espíritu) que esté en el mundo sin ser de él, puede ayudarnos a ver nuestros problemas de siempre bajo una nueva luz, y a ver con claridad unas soluciones diferentes y creativas. Este proceso de transformación debe ser claro y enfocado a fin de poder dejar atrás el condicionamiento del pasado para avanzar hacia un futuro de libertad.

Nuestro trabajo con muchas personas nos ha llevado a la convicción de que los siguientes son componentes esenciales para todo cambio perdurable.

1. **Comprometerse con la transformación.**
   ¿Está listo para cambiar? ¿Ha llegado el momento? Si es así, dirija su mirada hacia la meta y no permita que ninguna distracción lo desvíe de su camino.

2. **Comprométase con no repetir los errores del pasado.**
   La vida es para aprender. Dirija toda su intención en poner fin a la locura de continuar haciendo lo mismo y esperar un resultado diferente.

3. **Enfrente la cruda realidad del presente.**
   Cuando se sienta perdido, el primer paso es tratar, en la medida de lo posible, de determinar dónde está usted. Aunque se sienta infeliz y descontento con su situación actual, reconozca que esa es su realidad. El primer paso para sanar es aceptar esa realidad y, al mismo tiempo, reconocer que tiene el poder para cambiar.

4. **Reconozca las posibilidades infinitas que ofrece el momento presente.**
   La naturaleza del universo es creadora. Como expresiones que somos del universo, todos tenemos la capacidad de crear cosas nuevas. Formule una intención diferente, tome decisiones nuevas y verá aparecer posibilidades nuevas.

5. **Visualice dónde desea estar.**
   Nuestra realidad interna da forma a nuestros pensamientos, sentimientos, palabras y actos. Imagine una vida que le brinde la paz, el amor y la vitalidad que usted merece.

6. **Pregúntese cuáles son las decisiones que debe tomar para hacer realidad su visión.**

   Imagine que cada decisión libera una cascada de consecuencias. Visualice las decisiones que entrañan la mayor probabilidad de manifestar la realidad que usted desea para su vida.

7. **Establezca un plan de acción para ejecutar sus decisiones.**

   A fin de transformar su mundo, deberá traducir sus intenciones en acción. Sea usted mismo el artífice del cambio que desea para su vida.

Se abre la puerta

Millones de personas han utilizado los doce pasos como mapa para escapar de la prisión de la adicción. Veamos los doce pasos[1] desde un punto de vista diferente, con la confianza en el poder creador propio de la conciencia, y apoyados en los siete componentes esenciales para la transformación, descritos anteriormente. De esa manera, veremos perfilarse nuevas oportunidades de libertad.

PRIMER PASO

Admitimos que éramos incapaces de afrontar solos el alcohol, y que nuestra vida se había vuelto ingobernable.

La mayoría de nosotros tenemos buenas intenciones, pero es difícil traducirlas en un cambio de comportamiento. Por ejemplo, usted quizás haya tenido la intención de alimentarse sanamente y durante días y semanas consumió alimentos sanos y evitó todos los que pudieran sabotear su meta. Pero con el tiempo, se fue debilitando su resolución hasta que, tras desechar algunos sentimientos de culpa, sucumbió a la tentación de los alimentos ricos en grasas y calorías que venía evitando.

O, tras enterarse de que su presión arterial comenzaba a elevarse, tomó la decisión de iniciar un programa de ejercicios. Se matriculó en un gimnasio, compró ropa apropiada para tal fin y se comprometió a cumplir con una rutina de una hora de ejercicio tres veces por semana. Entonces, un día tuvo que trabajar hasta tarde uno de los días destinados al ejercicio, y hasta ahí llegó la resolución de ceñirse a su programa.

¿Quién es capaz de perseverar en su intención y quién es incapaz de hacerlo? Según la filosofía oriental, todos tenemos dos "yo". El primero es el "yo" de la imagen que tenemos de nosotros mismos, o el ego tejido a partir de la información que hemos recibido desde la infancia. Desarrollamos una personalidad a través de nuestras posturas y nuestros bienes –nuestros logros y adquisiciones– y proyectamos esa imagen durante el día en nuestras relaciones con los demás y con nosotros mismos. Ese "yo" puede decidir cambiar un comportamiento que genera disonancia entre lo que somos y lo que deseamos ser.

En un nivel más profundo, el alma –nuestro segundo "yo"– observa calladamente nuestras experiencias y decisiones. Lo mismo que la ola que mira en su interior y descubre que es el océano, así también el ego, a través de la reflexión y la introspección, reconoce que su personalidad emerge del ámbito no personal del espíritu.

En efecto, el "yo" condicionado, la imagen que el ego tiene de sí mismo, puede ser impotente frente a la adicción, pero hay otra parte de nosotros sobre la cual el comportamiento adictivo no tiene poder alguno. El camino para liberarse del comportamiento adictivo está en un viaje espiritual de descubrimiento interior. Exige abandonar la falsa sensación de control y aceptar el reconocimiento de que el "yo" condicionado es un disfraz convincente. A medida que conocemos cada vez más nuestro ser expandido, los lazos que nos amarran a las cosas externas se hacen más tenues.

En *Un curso de milagros,* hay una frase reveladora que ilustra este punto:

Soy responsable de lo que veo.
Elijo los sentimientos que experimento y
decido la meta que deseo alcanzar.
Y todo lo que parece sucederme lo he pedido, y obtengo
lo que pido.[2]

Esta experiencia no es del ego sino del alma. El ego realmente no tiene poder, mientras que el alma es una expresión del campo de inteligencia universal subyacente a todas las cosas del mundo objetivo de la forma y los fenómenos y del mundo subjetivo de los pensamientos, los sentimientos, los recuerdos y los deseos. Al ampliar nuestro punto interno de referencia y pasar del ego al alma, podemos traducir nuestras buenas intenciones en decisiones a favor de la vida.

Hafiz, el poeta sufi del siglo XIV, expresó este cambio de identidad de la siguiente manera:

En este juego complicado del amor
es fácil confundirse
y creerse el hacedor.
Pero Dios en su infinita certeza sabe que es
el único al que se debe llevar a juicio.[3]

Por tanto, podemos replantear el primer paso para expresarlo de la siguiente manera:

Como ser espiritual, reconozco que mi ego no es mi verdadero yo y no tiene poder realmente. Una vida basada en el ego y dedicada a lograr la seguridad a través del control, el poder o la aprobación es difícil de manejar.

SEGUNDO PASO

Llegamos a creer que un Poder Superior a nosotros podría devolvernos el sano juicio.

Al reconocer los dos aspectos de nuestro ser –el ego y el alma– vemos cómo se perfila el camino hacia nuestro despertar espiritual al entregar nuestro yo limitado a nuestro yo expandido. Ese poder que es superior a nosotros es nuestro ser superior y no debemos buscarlo por fuera de nosotros. El buscador es el ser y el viaje no tiene distancia.

Entregar nuestra individualidad ante nuestra universalidad implica una transformación de nuestra identidad. Poseemos un cuerpo formado a partir de las moléculas tomadas de nuestro entorno. Tenemos una mente llena de pensamientos relacionados con experiencias pasadas y expectativas sobre el futuro. En la base está el alma, que da lugar a nuestra mente y nuestro cuerpo y es el testigo siempre presente de nuestras experiencias físicas y mentales

El alma es un campo de potencial a partir del cual emergen el mundo interior y el mundo exterior. Desde el punto de vista físico, los científicos sugieren que el mundo material es inmaterial en esencia. Los objetos físicos localizados en el tiempo y el espacio están hechos de átomos, que son, principalmente, espacio vacío. Las partículas subatómicas de las cuales están compuestos los átomos no son cosas sino posibilidades oscilatorias de energía e información.

Creemos que los seres humanos también se pueden considerar como posibilidades oscilatorias. Además, este campo de posibilidades a partir del cual emergen la forma y los fenómenos encierra una incertidumbre esencial. Pero si no hubiera incertidumbre, no podría surgir nada verdaderamente nuevo. De hecho, a partir de este caos intrínseco, se producen los saltos de creatividad.

La conciencia humana tiene unas cualidades notablemente semejantes. Aunque tenemos la tendencia de expresarnos de una manera previsible a causa de nuestros hábitos de pensamiento y acción, también tenemos la posibilidad inherente de expresarnos de formas diferentes nunca vistas. La incertidumbre es un principio fundamental de la vida. Solamente tenemos verdadero control sobre las decisiones que tomamos a cada instante y nos es imposible conocer con certeza las consecuencias de esas decisiones.

Nuestra lucha por imponerle certeza al mundo y la obstinación con la cual este se niega a sucumbir generan ansiedad. Tratamos de aliviar esa ansiedad a través de hábitos y comportamientos que sirven para mitigar transitoriamente nuestro, miedo pero tienen consecuencias negativas a largo plazo.

A medida que aprendemos a entregarnos al campo de posibilidades infinitas y de incertidumbre, se reduce nuestra necesidad de controlar, manipular, seducir e imponer, y aumenta nuestra capacidad para descansar, crear, rendirnos y disfrutar. Podemos replantear este segundo paso de la siguiente manera:

> *Un campo de posibilidades infinitas es el origen y sostén de mi ego. La entrega interior a este campo me brinda seguridad, equilibrio y serenidad, y me permite tomar decisiones a favor de la vida.*

TERCER PASO

Resolvimos confiar nuestra voluntad y nuestra vida al cuidado de Dios, según nuestro propio entendimiento de Él.

El campo del espíritu del cual emerge el mundo de lo subjetivo y lo objetivo es insondable. Aunque nuestras mentes buscan desesperadamente lo previsible, en últimas, aprendemos que el misterio es más poderoso que cualquier certeza que deseemos imponer. En efecto, podemos considerar el camino espiritual como un sucumbir progresivo ante la incertidumbre, porque lo conocido es el pasado, mientras que lo desconocido es un campo de posibilidades infinitas. Cuando nos aferramos desesperadamente al pasado, limitamos nuestras posibilidades de crear algo que se traduzca en más amor, paz, abundancia, vitalidad y significado.

Podemos tomar una decisión a favor de la transformación y la sanación sin por ello dejar de rendir tributo a la sabiduría del pasado o de comprometernos a aprender de nuestros errores. Si continuamos optando por lo mismo una y otra vez, el futuro se parecerá mucho al pasado y dejaremos ir las oportunidades existentes en el momento presente. La forma más poderosa y eficaz de iniciar el proceso de sanación para quien sufre en el presente como consecuencia de sus decisiones pasadas consiste en enfrentar la realidad del presente.

La palabra "Dios" se ha utilizado tanto, y a veces en nombre del conflicto, el prejuicio y la intolerancia, que ya no la asociamos con el poder creador del universo. En un esfuerzo por definir lo indefinible, creamos una imagen de Aquel que es omnisciente, omnipotente y omnipresente, y muchas veces le atribuimos características humanas. Entonces codificamos los principios universales en un sistema organizado, conocido generalmente como religión, cuyos creyentes pelean por ser los poseedores del nombre o la imagen más exacta de Dios.

Quisiéramos que usted mire más allá de la "marca" y vea el espíritu unificador que está detrás. En términos védicos, entendemos a "Dios" como generador, operador y ejecutor. Así, Dios es la dimensión inmanifiesta del potencial puro a partir del cual surge el mundo de la creatividad, el mantenimiento y la disolución. Al reconocer y acoger nuestra conexión con ese campo espiritual en expansión, podemos transformar los viejos patrones nocivos en otros que favorezcan la vida.

Así, podemos replantear el tercer paso de la siguiente manera:

> *Establecimos el compromiso de expandir nuestro punto interior de referencia, para reemplazar un ego encapsulado en la piel, ávido de control y aprobación, por una expresión única del Ser universal.*

CUARTO PASO

Sin temor, hicimos un sincero y minucioso inventario moral propio.

Toda alma humana tiene su lado oscuro y su lado de luz. En todos nosotros conviven el valor y la cobardía, la generosidad y la mezquindad, la compasión y la crueldad. La sombra de nuestro ser contiene los aspectos secretos de nuestra naturaleza, que deseamos ocultar de nosotros mismos y de los demás. Adoptamos conductas adictivas para anestesiarnos contra el conflicto de estas cualidades opuestas que luchan por manifestarse.

Los impulsos que generan los comportamientos causantes del sufrimiento y la tristeza permanecen agazapados en las dimensiones ocultas del alma. El deseo de explorar la sombra amplía la creatividad y la libertad. El hecho de reconocer, acoger e integrar nuestro lado oscuro no nos hace débiles, sino integrales.

Uno de los medios más poderosos para sanar y transformar la sombra es la recapitulación, un método de introspección. Si nos tomamos el tiempo para repasar nuestros actos y reconocer cuándo reaccionamos movidos por el miedo en lugar de sabiduría, podemos aprender de nuestro pasado, tener acceso a la creatividad y reconocer la naturaleza transitoria de las reacciones emocionales. Nosotros practicamos la recapitulación todos los días e instamos a los demás a hacer lo mismo.

Al terminar el día, antes de poner la cabeza en la almohada, siéntese en la cama y dedique unos minutos a meditar para acallar la mente. Si no ha recibido instrucción formal en una técnica de meditación, sencillamente observe el fluir de su respiración sin crear resistencia. Cada vez que sienta que se dispersa, devuelva su atención a la respiración.

Cuando se aquiete su conciencia, comience el proceso de recapitulación con un repaso de su día. Comience por lo primero que recuerda de su despertar. Repase los sucesos del día como si estuviera viendo una película de su vida. Al recordar las experiencias del día, lleve su conciencia al corazón. Sienta las sensaciones de su cuerpo al evocar las imágenes de su vida y observe si le producen algún malestar. Si nota que una imagen en particular le genera malestar en el corazón, deténgase un poco y trate de identificar la causa de esa desazón. Válgase de las señales físicas al concentrarse en los detalles de un episodio con la intención de descubrir exactamente qué parte de la experiencia genera las sensaciones de malestar.

Si durante el proceso descubre que alguno de sus actos quedó incompleto, comprométase con tomar alguna medida correctiva positiva. Por ejemplo, si a través del proceso de recapitulación se da cuenta de que no actuó cuando hacerlo habría sido benéfico, o de que su actuación provocó un sufrimiento innecesario, identifique lo que puede hacer ahora para traer paz a la situación.

Si hace este proceso diariamente, evitará que se acumulen asuntos sin resolver. Si al conectarse con su corazón reconoce un pozo lleno de experiencias sin resolver, establezca desde hoy mismo el compromiso de comenzar a despejar todo sufrimiento, remordimiento, recriminación o rencor. Haga una llamada, escriba una carta o cite a una reunión para traer paz a su vida.

Si el remordimiento, el sufrimiento o el rencor se relacionan con alguien que ya murió, busque una forma creativa de sanar la situación. Podría ser hacerle un bien a un pariente o hacer una obra de caridad. El principio más importante es hacer lo que sea necesario para liberar su corazón de manera que el remordimiento, la ira, la humillación, la desilusión o el rencor no se conviertan en el motor de sus acciones. Entonces podrá tomar las decisiones que encierren la mayor oportunidad de fortalecer su bienestar físico, emocional, psicológico y espiritual.

Podemos replantear el cuarto paso de la siguiente manera:

> *Me comprometo a explorar, sanar y transformar las dimensiones ocultas de mi corazón y de mi alma a través de la práctica constante de la recapitulación.*

QUINTO PASO

Admitimos ante Dios, ante nosotros mismos y ante otro ser humano, la naturaleza exacta de nuestras faltas.

Cada uno de nosotros tiene una historia, que relatamos de manera diferente, dependiendo de nuestro interlocutor. Por lo general, relatamos nuestra historia buscando causar una buena impresión. Cuando abrigamos sentimientos de duda o desprecio por nosotros mismos, relatamos nuestra historia buscando negar la verdad, por miedo de que la verdad provoque crítica y condena. Después, justificamos nuestros motivos para ocultar la verdad, con lo cual enterramos el problema todavía más hondo en nuestra sombra. Cuando encontramos a alguien con quien podemos sincerarnos plenamente sin preocuparnos por las críticas y los juicios, alumbramos los aspectos oscuros que hemos venido negando. A través de la introspección y de la comunicación, podemos reintegrar los aspectos rechazados de nuestro ser y sentirnos seguros y auténticos nuevamente.

La confesión es buena para el alma. Cuando mantenemos vivo el rescoldo de los rencores y las desilusiones, agotamos nuestra vitalidad y creatividad. Con el simple hecho de liberar las recriminaciones ocultas en los rincones oscuros de la mente y el corazón, liberamos la energía estancada y promovemos la sanación.

La lucha por ocultar los secretos tristes genera ansiedad y depresión. Muchos comportamientos adictivos cumplen el propósito de anestesiar el dolor, el conflicto y la recriminación, asociados con los secretos que albergamos. Es esencial encontrar un desfogue seguro para esas emociones tóxicas.

Es curioso ver que los problemas que generan más vergüenza y sufrimiento personal por lo general son universales. La duda, el remordimiento y el miedo al fracaso son atributos casi universales, aunque muchas veces creemos ser los únicos que albergamos esos sentimientos. No hay un solo mortal adulto con autoridad para lanzar la primera piedra.

Reconocer nuestra humanidad mientras luchamos por despertar nuestra divinidad es algo que alivia la carga de culpas que carcome el alma. En uno de nuestros cursos del Centro Chopra, invitamos a nuestros huéspedes a participar en un ritual en el cual cada quien debe identificar un problema que le produzca vergüenza o remordimiento. Después, todo el mundo se sienta en dos círculos concéntricos frente a frente con los ojos vendados. Cada persona le susurra al oído de la que tiene al frente su secreto. La persona que escucha responde a la confesión diciendo: "Te escucho y te perdono". Después cambian de manera que quien confiesa pasa a escuchar y viceversa. Esto se repite con parejas diferentes veinte o más veces, hasta que todo el mundo ha oído los secretos de los demás.

Esta experiencia suele ser muy poderosa y liberadora. En un principio, nadie desea revelar sus secretos, pero no tardan en reconocer que casi todas las personas llevan una carga que las hace sentir vulnerables.

Iluminar los rincones oscuros de la sombra con la luz de la conciencia nos libera para seguir adelante como seres capaces de tomar decisiones conscientes, en lugar de continuar presos del rencor y el remordimiento.

Podemos replantear el quinto paso de la siguiente manera:

> *Me comprometo a cultivar una relación sana con los demás y conmigo mismo, a fin de tomar buenas decisiones sin la carga del remordimiento, el resentimiento o el rencor.*

SEXTO PASO

Estuvimos enteramente dispuestos a que Dios eliminara todos estos defectos de carácter.

Desde la perspectiva budista, tenemos dos impulsos primarios opuestos. El primero es el impulso de la separación y el segundo es el de la unión. Cuando activamos nuestra mente discriminatoria, nos fijamos en las cosas que nos hacen diferentes. El intelecto por naturaleza identifica y amplifica las diferencias a través de nuestras evaluaciones e interpretaciones. Para un observador externo, las diferencias entre Hutus y Tutsis pueden pasar desapercibidas, pero hubo quienes se valieron de esas diferencias para justificar el genocidio de casi un millón de personas en Rwanda. A un extraño le sería supremamente difícil diferenciar a un musulmán sunita de un chiita en Irak. Sin embargo, quienes se definen conforme a sus creencias religiosas creen que las diferencias son razones por las cuales se justifica dar la vida.

A nivel individual, todos tenemos nuestro propio repertorio de características que pueden rotularse como buenas o malas, correctas o equivocadas, deseables o indeseables, dependiendo del contexto. El comportamiento violento de una persona puede juzgarse indeseable en una situación, mientras que en otra puede considerarse heroico. No hay una división clara entre ser firme o dominante, adaptable o incoherente, dedicado u obsesivo.

En ocasiones, un rasgo calificado de negativo es el motor de unas conductas positivas. Si la inseguridad acerca de la posibilidad de triunfar lleva a la persona a crear cosas maravillosas en la vida, ese rasgo supuestamente negativo tiene un efecto positivo. Si la sensación de no ser digno de recibir una herencia considerable motiva a la persona a dedicarse a obras filantrópicas, esa energía oscura se convierte en luz, de la misma manera que la madera alimenta el fuego.

Todos tenemos energías opuestas. Algunas son divinas y otras son diabólicas; algunas son sagradas y otras son profanas. Hay un lugar en la conciencia que reconoce que tener rasgos positivos y negativos no nos convierte en seres defectuosos sino completos. En un nivel profundo del alma, podemos reconocer las semillas de la separación y las semillas de la unidad. Si nutrimos con nuestra atención las semillas de la separación, iremos por un camino. Si prestamos atención a la dimensión del alma que integra y acoge las fuerzas opuestas, el camino será diferente.

No tenemos que deshacernos de nuestros defectos. De hecho, es imposible hacerlo. Lo que debemos hacer cuando experimentamos la turbulencia emocional generada por los sentimientos de humillación, inseguridad o vergüenza es acceder a nuestro verdadero ser, que trasciende la dualidad. El hecho de saber que todo el mundo tiene debilidades y fortalezas nos permite entregarnos a ese ámbito sagrado del cual emana la dualidad y liberarnos de las cadenas de la prepotencia o de la lástima.

Creemos que conviene replantear el sexto paso para poder mantenernos en el camino propicio para el éxito. He aquí cómo:

> *Me comprometo a conectarme con el aspecto de mi ser que acoge y trasciende la dualidad de mi naturaleza, de manera que pueda optar conscientemente por expresar las cualidades que están en armonía con mi ser superior.*

Creemos y sabemos por experiencia que los adictos están en una búsqueda espiritual, aunque no lo saben. Su deseo de alcanzar el éxtasis es de naturaleza espiritual. Muchas veces es a causa del sufrimiento y los traumas de la infancia que los adictos valoran más los comportamientos que les ofrecen alivio inmediato para los pesares de la vida. Aún así, podemos acoger los principios fundamentales del comportamiento adictivo y replantear la conversación de tal manera que sirva para dar poder al adicto.

Nuestra forma de comprender los doce pasos tiene por objeto unir a las personas que se consideran adictas con las que no. Hemos visto que cuando ampliamos nuestra percepción, permitimos que emerjan unas oportunidades creativas de sanación y transformación.

SÉPTIMO PASO

Humildemente pedimos a Dios que limpiara nuestras culpas.

Lleve su atención al punto de la conciencia que usted reconoce como su "yo". Observe que ese "yo" es el punto interno de referencia a partir del cual surgen sus intenciones y deseos y en el cual convergen todas las experiencias sensoriales. En la ciencia védica, este punto de referencia se denomina *ahankara,* cuya traducción aproximada es "el ego". Cuando logramos manifestar nuestros deseos, nuestro ego se refuerza y adquiere mayor confianza en su capacidad para ejercer poder, mantener el control y ganar aprobación. Cuando el ego encuentra obstáculos para satisfacer sus necesidades, pierde confianza, lo cual se manifiesta a nivel físico en forma de ansiedad o frustración.

Cuando el ego es nuestro punto interno de referencia –es decir, cuando creemos que nuestra identidad primaria es la que desea y experimenta– oscilamos permanentemente entre la seguridad y la inseguridad.

Tenemos ego y tenemos alma. El ego experimenta el mundo con sus placeres y pesares y se declara dueño cuando le conviene, y niega esa propiedad cuando no le conviene. El alma es testigo de nuestros pensamientos, sentimientos y actos, con lo cual le da continuidad a nuestras experiencias. A medida que profundizamos nuestro conocimiento de nuestra naturaleza esencial, la idea limitada de lo que somos –característica del ego– se amplía para acoger el alma siempre presente y fundirse en ella. Lo mismo que la ola que cree estar sola hasta que mira en su interior y se da cuenta de que es el océano, el ego mantiene su idea falsa de su identidad hasta que mira hacia adentro y reconoce que es el alma.

La ola podría pensar que se mueve por su propio esfuerzo hasta que se transforma su identidad y entrega la autoría al océano. Asimismo, antes de despertar, el ego se lleva el crédito por sus logros, pero cuando reconoce su verdadera naturaleza, se torna despreocupado y humilde.

Ningún poder externo puede eliminar nuestros defectos, así como no podemos privar a la luz de su oscuridad. La coexistencia de los valores opuestos es la esencia misma del universo. Sin los polos positivo y negativo no habría electricidad. Sin las partículas subatómicas positivas y negativas no existiría la materia. Es la danza entre las fuerzas positivas y negativas la que impulsa el flujo evolutivo de la vida.

La única forma de vivir una vida auténtica es explorar, reconocer y acoger los aspectos oscuros del alma que nos llevan a tomar decisiones que generan sufrimiento y tribulaciones. Reconocer que podemos ser arrogantes, egocéntricos, necesitados, hipócritas y patéticos nos ayuda a reconocer en qué momento se expresan esas características y a buscar formas más creativas para satisfacer nuestras necesidades. A través de la introspección y la expansión progresiva de nuestra identidad, el ser interior se va convirtiendo en nuestro punto interno de referencia. Desde ese lugar de verdad, conocimiento y gracia, nos establecemos en la compasión y nos hacemos dignos de recibir y dar perdón.

Así, podemos replantear el séptimo paso de la siguiente manera:

> *Me comprometo a reconocer los elementos de luz y oscuridad de mi naturaleza como expresiones de una realidad más profunda que está más allá de la dualidad. Al aceptar mi capacidad para la dualidad y la unidad, adquiero el poder necesario para tomar decisiones a favor de la vida y la evolución.*

OCTAVO PASO

Hicimos una lista de todas las personas a quienes habíamos perjudicado, y estuvimos enteramente dispuestos a reparar el mal que les ocasionamos.

Las decisiones emanadas del ego se deben muchas veces a nuestro diálogo interno sobre nuestras deficiencias. Nuestra voz interna habla básicamente así: "No me siento realizado y necesito algo externo para sentirme completo". Para satisfacer mis deseos, haré lo que considere necesario para llenar mis necesidades. Al satisfacer mis necesidades, quizás no piense en el efecto que mis decisiones tendrán sobre el otro. Al concentrarme en lo que necesito, puedo provocar un daño sin proponérmelo. En ocasiones, reconozco que mis actuaciones producen malestar, pero es más importante para mí librarme de mi malestar que no causarlo a los demás.

Mientras más intensa la necesidad, más probable es que no nos percatemos de los efectos de nuestras actuaciones sobre los demás. Esto es muy cierto cuando se trata de comportamientos adictivos. Si la necesidad de aliviar la ansiedad con el alcohol es más fuerte que la necesidad de recibir atención, afecto o aprecio, haremos lo que sea necesario sin pensar en el otro. Si la necesidad de dinero para comprar la siguiente dosis de heroína imprime racionalidad al acto de robar, las necesidades del otro pierden prioridad.

Cuando la conciencia es limitada, nuestras necesidades seguramente estarán en conflicto con las de los demás. Sin embargo, cuando se expande la conciencia, reconocemos el lazo estrecho que existe entre nosotros y los demás. La motivación, la ejecución y las consecuencias de los actos que realizamos para satisfacer nuestras necesidades forman parte integral de una red ecológica. Para cada necesidad existe un camino más evolutivo que encierra la mayor posibilidad de satisfacer nuestras necesidades y las de quienes nos rodean.

Si usted incorpora la práctica de recapitulación en su vida, reconocerá los momentos en los cuales sus actuaciones perturbaron la paz de los demás. Si, en retrospectiva, usted puede contemplar una solución más creativa que aquella a la que recurrió en su momento, aproveche esa oportunidad para sanar y lograr una transformación.

Considere las consecuencias de sus decisiones pasadas y piense si ahora, como consecuencia de sus experiencias y de su mayor conocimiento, decidiría de manera diferente. Después, hable abiertamente y sin tratar de justificarse con las personas a quienes ha lastimado a causa de esas decisiones. Esas conversaciones suelen ser mucho más significativas una vez que usted ha comenzado a cambiar su vida para eliminar las cosas que dieron lugar a su comportamiento lesivo.

Si usted reconoce que sus adicciones le han causado sufrimiento a su familia, tome las medidas necesarias para modificar sus comportamientos perjudiciales. A medida que sus decisiones comiencen a reflejar su voluntad de sanar y transformase, hable con las personas a quienes ha herido, asuma la responsabilidad por el comportamiento provocado por su conciencia limitada, y comprométase a sanar sus relaciones a través de comportamientos conscientes encaminados a favorecer la vida. A través del proceso de identificar, acoger y sanar los lados oscuros de nuestra naturaleza, podemos sanar y transformar nuestras relaciones y reclutar a las personas que nos han de servir de aliados espirituales.

Así podemos replantear el octavo paso:

> *Me comprometo a asumir la responsabilidad por las decisiones que han tenido consecuencias no intencionales, entre ellas el sufrimiento propio y el de otras personas.*

NOVENO PASO

Reparamos directamente el mal causado a estas personas cuando nos fue posible, excepto en los casos en que el hacerlo les hubiera infligido más daño, o perjudicado a un tercero.

En el libro *Los cuatro acuerdos* de don Miguel Ruiz, maestro tolteca mexicano, el primer acuerdo es ser impecable con la palabra, porque el compromiso con la verdad es importante y liberador.[4] El problema con la verdad es que parece un camaleón. Las personas le asignan conscientemente la noción de "verdad" a las cosas en las cuales creen ciegamente. A veces, acomodamos la verdad para racionalizar las conductas nacidas de la necesidad. Aunque usted reconozca que su adicción a las drogas o al alcohol no le hace bien a nadie, podría racionalizar sus decisiones –aunque causen sufrimiento a los demás– sencillamente porque contribuyen a aliviar su propio sufrimiento, aunque sea transitoriamente.

Al despertar a la realidad profunda de su ser, reconocerá que la realización no está afuera. Así, sus comportamientos se tornarán menos desesperados y, por tanto, disminuirá la necesidad de racionalizarlos. A medida que su identidad se torne menos local y más universal, comenzará a tratar a la gente de la misma manera que usted desearía ser tratado y se abstendrá de tratarla como no querría ser tratado. Reconocerá que cada ser humano es un espejo de su propio ser.

El ego se pregunta perpetuamente: "¿Qué gano yo?", mientras que la pregunta del alma es: "¿Cómo puedo ayudar?". Una paradoja fascinante de la vida es que cuando nos comprometemos a vivir la vida con conciencia, el ego se siente satisfecho porque es menos egocéntrico.

Es de gran valor ayudar a los demás. Mientras vive su proceso de su sanación, piense cómo puede ayudar a los demás con su nuevo conocimiento. Considere lo que busca en su vida y busque formas de ayudar a otros a satisfacer sus necesidades. Ayude a otros a conseguir eso mismo que usted desea para sí. Si busca amor, encuentre la forma de dar amor. Si persigue el éxito, encuentre la manera de ayudar a otra persona a alcanzar el éxito. Si anhela el perdón, ofrezca su perdón generosamente.

También es útil reconocer que el momento propicio es clave. Una destreza importante para vivir con conciencia es prestar atención a las estaciones, los ciclos y los ritmos de la vida. Hay una estación para cada propósito. Una escena conmovedora de la película *Zorba el griego* de Nikos Kazantzakis resalta la importancia del momento propicio.[5] Zorba encuentra una mariposa que lucha por salir de su crisálida. Como no se mueve con la rapidez que él quería, Zorba sopla sobre ella su aliento cálido para acelerar su nacimiento. Entonces, ve con horror que las alas están arrugadas y que la mariposa no tiene la fuerza para abrirlas. El insecto muere en sus manos a causa de su impaciencia. Esta lección conmovedora nos enseña el valor de la paciencia.

Podría suceder que usted haya dado un salto importante en su vida y haya decidido deshacerse de sus comportamientos destructivos para acoger otros nuevos. Podría ser que esté listo para limpiar el pasado y comenzar de nuevo. Sin embargo, las personas con quienes se relacionó en una encarnación anterior podrían no estar listas en este momento para apreciar su nueva luz. Ampliar la conciencia implica tener una mayor disposición para reconocer que cada quien evoluciona a su propio paso y nadie puede imponer cambios a los demás.

El camino espiritual es un camino de referencia interior. Su ritmo interior no depende de la aprobación de nadie más. Desde su plataforma de conciencia expandida podrá ver la relación entre las fuerzas y los elementos de la naturaleza que conspiran para crear las historias de la vida. Cuando reconozca que todos representamos un papel en el escenario cósmico, no podrá cuestionar las posibilidades de evolución de su personaje. Podrá leer el guión que se le ha entregado o podrá improvisar. Podrá cambiar la trama y aportar dimensiones nuevas a su personaje.

Busque las oportunidades para compensar a quienes hayan sufrido a causa de sus interacciones menos conscientes. Presente disculpas por las decisiones que, vistas en retrospectiva, no contribuyeron a favorecer la vida como debieron hacerlo. Comprométase a vivir con su conciencia en el corazón, de tal manera que sus decisiones se traduzcan en el máximo beneficio tanto para usted como para los demás interesados.

Si a pesar de sus mejores intenciones y de su compromiso genuino por sanar encuentra a alguien que no esté preparado para acoger su transformación en este momento, registre la información, tome conciencia de las emociones que eso le genera, y válgase de la experiencia como oportunidad para aprender. Mantenga su corazón abierto aunque la otra persona no esté lista para exponer el suyo. Confíe en el poder del amor y sepa que, llegado el momento propicio, hasta lo imperdonable podrá sanar.

Podemos replantear el noveno paso de la siguiente manera:

> *Me comprometo con una vida de sanación y transformación. Demostraré, a través de mis pensamientos, palabras y obras, mi conciencia acerca de las interrelaciones de la vida.*

DÉCIMO PASO

Proseguimos con nuestro inventario moral, admitiendo espontáneamente nuestras faltas al momento de reconocerlas.

El universo opera a través de la polaridad. Sin ella no habría movimiento. Aún así, el hecho de rotular perpetuamente a las personas, las circunstancias, las situaciones o las cosas como buenas o malas, correctas o incorrectas, divinas o diabólicas, perpetúa el conflicto y la confusión para los individuos, las comunidades y las naciones. El diálogo interno que divide al mundo en bueno y malo es incompatible con la paz. Si usted insiste en sostener un diálogo sobre el bien y el mal, perpetuará el hábito de rotularse a sí mismo como bueno o malo con base en la historia de sus decisiones, con lo cual constreñirá todavía más su alma. En lugar de pensar en términos de bueno y malo, lo instamos a pensar en términos de unas decisiones tomadas con mayor o menor conciencia. Las decisiones tomadas con una conciencia limitada encierran una mayor probabilidad de que se deba pagar un precio por el placer o el gusto transitorio. Los actos realizados desde una conciencia expandida encierran una mayor probabilidad de traer satisfacción y felicidad a la persona que toma la decisión y a quienes se ven afectadas por ella.

Recapitular a diario le servirá para mantenerse en contacto con su ser interior y con los arquetipos energéticos que residen en nuestra alma colectiva. En nuestro interior hay fuerzas que actúan movidas por el amor y otras que actúan impelidas por el miedo. En las tradiciones de la sabiduría oriental, esas fuerzas contrarias se representan con las imágenes de dioses vengativos y benévolos. Esos dioses no residen afuera sino en el interior de nuestra alma colectiva. Lo mismo que los dibujos animados que veíamos cuando éramos niños, esos diablillos y ángeles se sientan sobre nuestros hombros para competir por nuestra atención.

Incluya como parte de su vida la visita a la dimensión donde residen esas fuerzas psicológicas poderosas. Destine tiempo periódicamente para llevar su atención al interior de su alma. Explore los impulsos alimentados por el miedo y busque la forma de traer más amor. Las fuerzas arquetípicas que siembran el descontento tienen un propósito divino: llevarnos al interior del alma en busca de la paz.

Los hábitos que adquirimos sirven como anestésicos para el dolor existencial del vacío. El alcohol, las drogas, el juego, el sexo, la comida o el trabajo son sagrados en esencia porque emanan de una intención de reducir el sufrimiento o dar mayor significado a la vida. Claro está que experimentar la conciencia del momento presente apostando el salario de una semana en una carrera de caballos genera en últimas más sufrimiento o menos significado. Sin embargo, el impulso de sumergirse en el olvido emerge de una intención espiritual. El llamado para escapar de la prisión del ego individual es un llamado para trascender nuestro aislamiento y experimentar la trascendencia. El alivio que encontramos en ciertas conductas o sustancias es un mal sustituto del éxtasis que nos espera a través de la experiencia espiritual. El empeño es noble pero el método es inadecuado.

A través de la práctica diaria de silenciar el diálogo interno y repasar nuestras decisiones, podemos identificar los momentos en los que nuestro comportamiento no estuvo en armonía con nuestro ser superior. Esos momentos se convierten en oportunidades para la creatividad. Una situación, una circunstancia o un encuentro pudieron activar una reacción emocional, que, aunque defensiva inicialmente, pudo no haber sido la mejor alternativa para satisfacer las necesidades de todos. Las reacciones basadas en el reflejo psicológico de defendernos sirven para proteger nuestra imagen, pero suelen originarse en el miedo. Por tanto, tienden a ser reacciones exageradas ante una amenaza percibida. El ego, salvo cuando necesita protegerse, está en capacidad de acceder a reacciones más matizadas que permiten llegar al resultado deseado sin desperdiciar la preciosa energía vital.

Las reacciones basadas en el miedo constriñen la conciencia. Cuanto más primitiva la reacción, menor la creatividad a la cual podemos recurrir. Asimismo, cuanto más limitada nuestra conciencia, mayor la probabilidad de responder con miedo frente a una amenaza o dificultad. En la jerarquía de las reacciones que estamos en capacidad de movilizar, la reacción de huir o luchar es la más firmemente anclada en nuestra biología. La percepción de una amenaza genera las respuestas fisiológicas necesarias para atacar o correr. Cuando la amenaza es psicológica, movilizamos una reacción de huida o ataque levemente velada a través de nuestros mecanismos de defensa. Quizás no ataquemos físicamente al agresor, pero tratamos de rasguñar o lastimar a nuestro antagonista por medio del sarcasmo, la crítica, la grosería o el ridículo. Quizás no huyamos físicamente de una amenaza contra nuestra imagen, pero podríamos encerrarnos y callar, negando toda respuesta emocional.

Al expandir nuestra noción del ser, se va reduciendo nuestra necesidad de defendernos o de protegernos. La paradoja es que en la medida en que acogemos nuestra vulnerabilidad inherente, nos hacemos menos vulnerables ante los desplantes e insultos triviales que ponen en tela de juicio nuestro lugar central en el universo. Desde ese punto de referencia interior centrado, equilibrado y abierto, podemos tomar las decisiones que encierran la mayor probabilidad de generar beneficio para nosotros y los demás interesados. Cuando, al reflexionar, reconocemos que una decisión previa generó sufrimiento o conflicto innecesario a otra persona, podemos tomar medidas para restablecer la paz y la armonía sin arrogancia.

Podemos replantear el décimo paso de la siguiente manera:

> *Me comprometo con una práctica espiritual de reaccionar ante la vida con mayor conciencia, a fin de que mis decisiones sean cada vez más favorables para la vida.*

DÉCIMO PRIMER PASO

Mediante la oración y la meditación, tratamos de mejorar nuestro contacto consciente con Dios, según nuestro propio entendimiento de Él, y le pedimos tan solo la capacidad para reconocer Su voluntad y las fuerzas para cumplirla.

La meditación es la clave para sanar. La tecnología para transformar la identidad se encuentra en un viaje de descubrimiento interior. La ola que mira en su interior descubre su naturaleza profunda y expansiva. El viaje de descubrimiento es la meditación.

Desde el día en que nacemos, sentimos la necesidad de explorar el mundo exterior con sus sensaciones, formas y fenómenos. Mientras crecemos, se nos insta mediante súplicas, amenazas o chantajes a aprender a dominar las formas del mundo. Los ideales de la realización, los logros y la adquisición se nos presentan ante los ojos como las claves para alcanzar la felicidad, la libertad y la paz, más allá de la simple supervivencia.

El viaje meditativo crea equilibrio en la vida. Los antiguos upanishads de la tradición védica de la India nos dicen: "Tan inmenso como es el infinito espacio exterior es también el espacio que alberga el loto del corazón. Aquello que mora en ese espacio debe ser motivo de anhelo y realización". Todos deseamos abundancia. Todos queremos hacer realidad nuestros sueños. La búsqueda de metas es parte integral de la vida. A fin de realizar nuestros deseos, debemos acceder a viajar al interior para conectarnos con nuestra infinita capacidad creadora y después manifestar nuestros sueños a través de la intención clara y dirigida. La intención dirigida es la destreza de los arqueros que no se permiten ninguna distracción que pueda interferir con su habilidad para poner el ojo en la diana. La realización en el mundo y la realización en nuestro interior son reflejo la una de la otra.

La meditación incluye la introspección en la cual nos hacemos las preguntas de fondo: *¿Quién soy? ¿Qué deseo? ¿Cómo puedo utilizar mis talentos innatos al servicio de los demás?* Si reconozco una conducta compulsiva, me pregunto: *¿Qué espero obtener con esto?* Si al reflexionar reconocemos que es poco probable que podamos satisfacer esa necesidad profunda por medio de nuestras decisiones habituales, entonces preguntamos, *¿Cuál otro camino podría llevarme hasta mi verdadera meta?*

En vista de que estamos convencidos de que la meditación y la introspección son los componentes primordiales de una vida dedicada a la libertad, la sanación y la transformación, dedicaremos todo el capítulo siguiente a esas prácticas. Podemos establecer la importancia de estos principios al replantear el décimo primer paso de la siguiente manera:

> *A través de la meditación, la reflexión y la introspección, me comprometo a sumergirme en la conciencia para pensar y comportarme en el mundo como una expresión del universo.*

DÉCIMO SEGUNDO PASO

Habiendo logrado un despertar espiritual como resultado de estos pasos, tratamos de llevar este mensaje a otras personas y de practicar estos principios en todas nuestras acciones.

Ralph Waldo Emerson alguna vez dijo: “La persona que eres me habla con tal estridencia que no escucho lo que dice”. Cada persona es un ser multidimensional magnífico dotado de muchas facetas. Cuando las fuerzas y los elementos de la vida están en armonía, nuestra melodía es única e irresistible. Cuando ahondamos en nuestro conocimiento de lo que somos y de nuestra relación con el mundo, tenemos la oportunidad de tejer nuestras ambigüedades y contradicciones en un todo fascinante. El hecho de aceptar y acoger nuestras incoherencias e incongruencias se traduce en paz para nosotros y para los demás. Nada hay más atrayente que la aceptación natural de lo que somos.

Con la aceptación de lo que somos, apelamos a nuestros impulsos más elevados y expansivos y reconocemos al mismo tiempo nuestras limitaciones. A través de la introspección, podemos tener acceso a los hilos que forman el tejido de la vida. Busque un lugar tranquilo y dedique algunos minutos a oír las respuestas salidas de su corazón a las preguntas siguientes, a través de las cuales emerge lo que hemos llamado el "perfil del alma".

1. **¿Cuál es mi propósito en la vida?**

    Pregúntese cuál es el motor de sus pensamientos y sus actos en el nivel más profundo de su ser.

2. **¿Cómo desearía contribuir a este mundo?**

    ¿Cuál es la huella que desea dejar que refleje lo mejor de usted?

3. **¿Quiénes son mis héroes?**

    ¿Cuáles son las personas o las cualidades que desearía imitar? Pueden ser personas contemporáneas o personajes de la historia que le hayan servido de inspiración para alcanzar metas más elevadas y expresar los mejores aspectos de su naturaleza.

4. **¿Cuáles palabras podría utilizar para describir una experiencia sublime?**

    Una experiencia sublime se refiere a un momento en el cual haya trascendido el tiempo y el espacio. Puede suceder al contemplar un paisaje de extraordinaria belleza, al deleitarse con una obra musical incomparable, o durante el acto del amor. ¿Cuáles palabras le vienen a la mente para describir una experiencia difícil de expresar en palabras?

5. **¿Cuáles son las tres cualidades más importantes que debe tener un amigo?**

   Considere las características de una persona en cuya presencia siente una seguridad tal que puede mostrarse tal y como es.

6. **¿Cuáles son mis talentos únicos?**

   Todos tenemos habilidades innatas que expresan la esencia de lo que somos. ¿Qué puede hacer muy bien? ¿Qué cosas le vienen con facilidad?

7. **¿Cuáles son las mejores cualidades que expreso en mis relaciones personales?**

   Cuando nos sentimos centrados y seguros, podemos proyectarnos de una manera que contribuye a enriquecer y fortalecer la sanación y el desarrollo de nuestros amigos, conocidos y familiares.

Mire en su interior para ver la gracia, el poder y la libertad que le pertenecen por derecho. Al reconocer que es parte de la divinidad, comprométase a crear armonía entre sus decisiones y las cualidades de su alma. Lleve consigo el mapa de su ser sagrado y consúltelo regularmente para que el sendero de su vida concuerde siempre con sus intenciones más profundas de evolucionar. Por tanto, podemos replantear el último paso de la siguiente manera:

> *Me comprometo a explorar las dimensiones sagradas de mi alma y a expresar mis cualidades superiores en mis relaciones conmigo mismo y con los demás.*

Buscar el éxtasis es una empresa sagrada. Para quienes se marchitan en la presión de la separación, cualquier medio de escape es comprensible, aunque sea transitorio. Quienes están presos en las garras de la adicción utilizan la sustancia de su preferencia para encontrar un refugio temporal. En los capítulos siguientes, les ofrecemos la libertad.

El programa para liberarse de las adicciones

Creemos en el poder de la conciencia y en la importancia de percibir el mundo con otros ojos. Sin embargo, la sanación y la transformación ocurren con el diario acontecer de la vida. Al practicar la vida consciente, permitimos que se formen nuevos patrones propicios para la libertad, el amor, la dicha y el éxtasis. En esta sección, presentamos los métodos que ofrecemos a nuestros visitantes del Centro Chopra. Su objetivo es acallar la turbulencia interna, estimular el deseo de eliminar las toxinas de la vida, despertar la vitalidad y sanar el corazón. A través de estos pasos, usted podrá restablecer una conexión profunda y vivificante entre su cuerpo, su corazón, su mente y su alma.

3

El poder del silencio

Sam, un importante empresario de su comunidad, era experto en agasajar a la gente. Parecía tener el don de beber más que sus amigos sin perder el control y le agradaba sentir cómo se borraban ligeramente las barreras con el alcohol. Sin embargo, le desagradaba la irritabilidad que sentía cuando no bebía y el deseo apremiante de beber apenas a mitad de la tarde.

Aunque reconocía tener un problema, Sam no estaba dispuesto a aceptar el rótulo de alcoholismo ni la sugerencia de su médico familiar de que se internara para recibir tratamiento. Cuando visitó el Centro Chopra, habló francamente sobre su renuencia a dejar de beber del todo, pero manifestó estar dispuesto a ensayar algo que le impidiera llegar al "borde", cómo él mismo lo denominó.

En vista de que no estaba dispuesto a hacer un cambio radical en su vida, le hicimos la única recomendación que, en nuestra opinión, representaría el mayor beneficio. Le enseñamos a acallar su mente en la meditación y le pedimos que meditara dos veces al día durante cuarenta días aproximadamente.

Durante muchos años de trabajo con personas que intentan liberarse de sus adicciones, hemos visto que la meditación es el método más poderoso para cambiar los patrones negativos. En efecto, nunca hemos visto recaer a ninguna persona que haya adoptado la práctica constante de la meditación. Según el budismo, creamos el mundo a través de nuestros pensamientos. Cuando la mente está en silencio y concentrada, la experiencia de nosotros mismos y del mundo que nos rodea refleja ese estado interno de conciencia centrada.

Los comportamientos adictivos son intentos por neutralizar los pensamientos y sentimientos desagradables que los acompañan. La meditación es la técnica natural más importante que conocemos para tranquilizar la mente y lograr acceso al silencio contenido en ella. Aunque todos tenemos la aptitud natural para experimentar la paz interior, la mayoría necesitamos ayuda para despertar esta habilidad. Como vehículo para expandir la conciencia, la meditación es el mejor hábito que se puede fomentar, pues con el tiempo tomará el lugar de todas las demás adicciones.

Según los katha upanishads, "El estado más elevado, dicen los sabios, es aquel en el cual se aquietan los cinco sentidos, se aquieta la mente y se aquieta el intelecto". El viaje meditativo al interior nos lleva a descubrir el estado trascendental del ser a partir del cual surge nuestra individualidad. Al traer silencio a la vida, se enriquecen el cuerpo y la mente y logramos acceso directo al alma, que es la fuente silenciosa y eterna de nuestros deseos, talentos y creatividad.

La meditación nos ayuda a centrarnos de la mejor manera posible, al tiempo que amplía nuestro sentido de ser. Cuando nos experimentamos desde una perspectiva expandida, catalizamos nuestra propia sanación. A través del poder del silencio, podemos descubrir soluciones diferentes a los problemas de siempre y liberarnos de los patrones limitantes de la vida.

La biología del estrés

Los límites externos del cuerpo están llenos de terminaciones nerviosas cuya finalidad es dar la alerta cuando se violan las fronteras personales. El dolor que usted siente al pisar un clavo, al golpear su cabeza contra una repisa o quemarse los dedos con un fósforo, le envía unas señales fuertes para que se aparte del agente agresor que ha cruzado el umbral de su individualidad sin su permiso.

La base evolutiva de esta reacción salta a la vista. Si no protegemos nuestras fronteras personales, no podemos mantener nuestra individualidad. Desde las amebas hasta los elefantes, las entidades vivas tienen la disposición innata de defenderse a través de la fuga o el ataque.

Los seres humanos nos hemos beneficiado de millones de años de evolución biológica y hemos desarrollado mecanismos complejos de defensa que nos movilizan físicamente cuando nos sentimos amenazados. Esta reacción de supervivencia nos obliga a actuar de manera agresiva para huir o luchar cuando percibimos un peligro. El fisiólogo estadounidense Walter Cannon describió esta reacción por primera vez en los años 1930, pero en la actualidad comprendemos tanto los beneficios inmediatos como los riesgos de largo plazo de esta reacción primitiva.

La reacción de fuga o ataque, bajo la dirección de los sistemas nervioso y endocrino, canaliza toda la energía vital disponible para proteger a la persona. Cuando nos sentimos amenazados, las pupilas se dilatan inmediatamente para permitir el paso de más luz. El corazón palpita más rápida e intensamente para enviar más oxígeno y energía a los tejidos. El flujo sanguíneo se desvía espontáneamente hacia los músculos de las extremidades, lejos de la vía digestiva, porque la digestión deja de tener prioridad cuando corremos el peligro de convertirnos en la cena de otro. Las glándulas sudoríparas producen sudor para impedir un recalentamiento del cuerpo, mientras que los niveles de glucosa aumentan a causa de cambios complejos de las hormonas reguladoras del azúcar. Las glándulas suprarrenales liberan adrenalina y noradrenalina, las hormonas del estrés, las cuales permiten movilizar y aprovechar la energía.

Es obvio que activar la reacción de fuga o ataque cuando un tigre está a punto de devorarnos es un reflejo adaptativo y salvador. Dada la naturaleza limitada de las defensas naturales del ser humano (no tenemos garras ni colmillos), la posibilidad de activar rápidamente la reacción de fuga o ataque nos permitió en épocas remotas ver la luz cada día mientras desarrollábamos la tecnología para dominar nuestro entorno.

En la época moderna, salvo en el campo de batalla, la experiencia de la amenaza física ocurre rara vez. No es con mucha frecuencia que debemos correr para salvarnos o perseguir a una presa para saciar el hambre. Sin embargo, todavía tendemos a expresar aspectos de la reacción de fuga o ataque cuando no logramos satisfacer nuestras necesidades. El impulso de correr o escapar está casi a flor de piel cuando nos atascamos en el tráfico, abrimos una factura de teléfono que parece excesivamente alta, o descubrimos una abolladura en nuestro automóvil nuevo. Esas molestias tienen un efecto acumulativo sobre nuestra fisiología y nos llevan a activar cada vez más nuestra reacción sin que tengamos realmente la posibilidad de liberar la presión que se acumula en el interior.

Si consideramos las principales dolencias de la vida moderna, muchas de ellas podrían atribuirse a la activación inapropiada de las reacciones de fuga o ataque. La elevación de la presión arterial, de la frecuencia cardíaca y de la actividad del sistema cardiovascular puede ser muy útil cuando se trata de huir de un tigre en medio de la selva, pero engendra el riesgo de un infarto prematuro en el caso de un abogado sometido a una gran presión laboral. Desviar la sangre desde la vía digestiva hacia los brazos y las piernas es útil cuando se trata de trepar a un árbol para huir de una manada de lobos, pero predispone a un trastorno digestivo cuando se trata de superar los límites de velocidad para llegar a tiempo al recital de una hija. La elevación de los niveles de azúcar en la sangre para llevar energía a los tejidos es útil cuando se trata de cazar una bestia salvaje, pero se convierte en diabetes y obesidad cuando se consumen alimentos ricos en calorías para mantener la energía a fin de poder trabajar durante toda la noche. La adrenalina y la noradrenalina, las hormonas del estrés, excitan la mente e intensifican el metabolismo, lo cual es útil cuando se trata de correr para huir de un oso pardo que desea recuperar su madriguera. Sin embargo, si las glándulas suprarrenales liberan esas hormonas cuando nos encontramos en aprietos económicos o en peligro de ir a la quiebra, estas producen insomnio y ansiedad. La adicción al alcohol o a las drogas (formuladas o ilegales), lo mismo que otros hábitos compulsivos, se producen en un esfuerzo por mitigar los síntomas desagradables del estrés.

Valoramos la reacción de fuga o ataque como parte de nuestro arsenal fisiológico en las situaciones en que la necesitamos para luchar o escapar para salvar la vida, pero no podemos pagar el precio físico o emocional de estar perpetuamente dispuestos a reaccionar con agresión a unas amenazas percibidas. El desgaste al que sometemos la mente y el cuerpo cuando percibimos el mundo como un lugar amenazador nos enferma, puede engendrar desadaptación y llevarnos finalmente a la muerte. Por suerte, así como tenemos la propensión intrínseca para activar esta reacción, también poseemos la capacidad natural para anularla.

La fisiología del reposo consciente

Los científicos estudiosos del cerebro dividen la función neurológica en dos categorías principales: voluntaria e involuntaria. El sistema nervioso voluntario interviene cuando nos abotonamos la camisa, respondemos el teléfono o corremos para llegar a tiempo al aeropuerto. El sistema nervioso involuntario actúa cuando se trata de regular la presión arterial, mantener la temperatura corporal y movilizar el alimento por el sistema digestivo.

Hasta la última mitad del siglo XX, la neurociencia creía que podíamos influir conscientemente en la parte voluntaria del sistema nervioso, pero no así en la involuntaria. Sin embargo, a partir de la década de 1950, los fisiólogos comenzaron a informar sobre casos de personas que parecían poseer habilidades únicas. Se observó que los monjes que practican el budismo zen podían elevar su temperatura corporal a través de la práctica mental. Los maestros indios podían desacelerar la frecuencia cardíaca por medio de técnicas de autorregulación yogui. Otros podían reducir drásticamente la frecuencia y la profundidad de la respiración por medio de la meditación. En un principio, se hizo caso omiso de estos informes por considerarlos anomalías sin trascendencia para nuestro conocimiento de la biología humana. Sin embargo, cuando la cultura occidental abrió su mente a los fenómenos de Oriente, los científicos sintieron curiosidad con respecto a la fisiología del yoga y la meditación. Durante los años 1960 y 1970, estudiantes universitarios del mundo entero se dedicaron a aprender diversas técnicas de meditación para expandir la conciencia y comenzaron a reportar los cambios benéficos en la mente y el cuerpo.

Estas afirmaciones atrajeron el interés de fisiólogos y médicos. Los investigadores de Harvard, MIT y Stanford conectaron a los meditadores a máquinas de electroencefalografía, medidores de frecuencia cardíaca, galvanómetros de piel y monitores de la respiración. Analizaron la sangre de los participantes para determinar los cambios de los niveles hormonales y evaluaron su funcionamiento psicológico por medio de baterías de pruebas. Estas investigaciones revelaron que los seres humanos poseemos la habilidad de alterar la fisiología de una manera no considerada posible anteriormente. Los cambios eran lo suficientemente singulares como para que los investigadores comenzaran a calificar la meditación como un cuarto estado de conciencia diferente de la vigilia, el sueño y la ensoñación. El término científico sugerido fue el de estado hipometabólico consciente. Nosotros preferimos la expresión más simple de reposo consciente.

Los meditadores pueden desacelerar la frecuencia cardíaca, reducir sus patrones de respiración y bajar su presión arterial mediante cambios simples de atención e intención. Pueden reducir sus niveles de hormonas del estrés y crear ondas cerebrales coherentes. Ahora sabemos que casi todo el mundo puede aprender a influir voluntariamente sobre su sistema nervioso involuntario. Esta reacción es benéfica para el cuerpo, la mente y el alma, en particular de las personas que tratan de escapar de las cadenas de la adicción.

Los beneficios físicos del reposo consciente

La meditación produce beneficios en los niveles físico, psicológico y espiritual. Este valor multidimensional para la vida humana se ha descrito desde hace miles de años en las tradiciones de la sabiduría oriental. Los estudios científicos de los últimos cuarenta años han reafirmado el hecho de que destinar tiempo para acallar la mente y relajar el cuerpo se traduce en cambios positivos para la salud.

En cuanto a la salud física, la práctica regular de la meditación afecta todos los sistemas del cuerpo. La meditación puede aliviar la enfermedad de colon irritable, reducir la frecuencia de las migrañas y mejorar la función inmune.[1-3] Con el tiempo, puede reducir el riesgo de hipertensión y mejorar la función cardíaca de las personas con enfermedad coronaria.[4,5] La práctica de la meditación puede reducir la necesidad de analgésicos en los casos de enfermedades musculoesqueléticas dolorosas crónicas y también de cáncer.[6,7]

El reposo consciente calma la turbulencia emocional

A nivel de las emociones, los estudios han demostrado que la meditación puede ayudar a reducir tanto la ansiedad como la depresión.[8,9] Al reducirse la inquietud y la tristeza, la persona se inclina menos a usar drogas, alcohol o medicamentos reguladores del afecto, a fin de modular sus emociones. La meditación ayuda a reducir el nivel de conmoción emocional al acallar el diálogo interno generador de la turbulencia.

Nuestro mundo interior de los pensamientos, los sentimientos, los recuerdos y los deseos determina la calidad de nuestra vida. Para muchos de nosotros, la idea de lo que somos depende de cuán a gusto nos sentimos con nuestra profesión y nuestras relaciones. Sigmund Freud, el "padre del psicoanálisis", dijo que "el amor y el trabajo son las piedras angulares de nuestra humanidad". Vivimos en un diálogo constante con nosotros mismos sobre nuestro trabajo y nuestras relaciones. La meditación sirve para interrumpir temporalmente ese tráfico de pensamientos y permitir que surjan puntos de vista nuevos y diferentes que quizás no habíamos contemplando anteriormente.

Cuando comprendemos la naturaleza de la actividad mental, nos es más fácil apreciar el valor de silenciar la mente en la meditación. Si observa su mente, notará que cada uno de sus pensamientos tiene relación con algo que ocurrió en el pasado o algo que podría suceder en el futuro. En los escritos tradicionales sobre la meditación en la India, se dice que la mente se mantiene activa a través de un ciclo continuo de tres etapas. En una etapa, la mente registra una impresión. A causa de ella, pasa a la segunda etapa en la cual genera una intención para interesarse un poco más o un poco menos por esa experiencia que dio origen a la impresión. La intención lleva a la tercera etapa, que consiste en una acción o un comportamiento. En sánscrito, la acción es *karma,* término muy conocido en Occidente. Como consecuencia de la acción, se generan nuevas impresiones, que dan lugar a nuevas impresiones y nuevas intenciones.

Este ciclo de **acción → impresión → intención → acción** se conoce en las tradiciones védicas y budistas como el "ciclo del karma". Es el ciclo que nos hace comportarnos siempre de manera previsible frente a las distintas situaciones, circunstancias, personas y cosas. Está en la raíz de todos los hábitos, favorables o desfavorables para la vida. Para liberarnos de las conductas habituales debemos liberarnos del ciclo del karma. Esto no puede ocurrir solamente a través de la intención consciente, porque las impresiones están en un nivel más profundo que el de la mente consciente.

El combustible que mantiene vivo el ciclo mental es el significado. El significado que le atribuimos a una experiencia desencadena recuerdos y sentimientos, los cuales generan asociaciones e intenciones. Por ejemplo, imagine que pasea por un parque y ve un cachorro. El cachorro le recuerda al perro que tuvo en su infancia. El recuerdo y los sentimientos asociados con el cachorro activan otras imágenes de su infancia. Eso le recuerda el momento en que su padre, llevado por la ira, pateó al perro por ensuciar la alfombra. Los sentimientos provocados por ese recuerdo son molestos, de manera que decide parar en el bar para beber un trago camino a casa. De las impresiones emanan los deseos, que a su vez engendran acciones.

La meditación interrumpe el ciclo mental porque introduce una impresión que no encierra ningún significado apremiante. La impresión puede ser observar la respiración, mirar la llama de una vela, observar el movimiento libre de las formas o repetir un mantra. Independientemente del método empleado, el valor de la meditación es acallar transitoriamente la actividad incesante de la mente. Cuando la mente se adentra por el espacio entre los pensamientos, el cuerpo también se relaja. La experiencia es de paz mental y relajación física. Es el reposo consciente.

La experiencia subjetiva del reposo consciente es un estado de relajación en vigilia. Cuando la mente está activa, tenemos la atención puesta en cosas generadas interna o externamente. Podemos estar conscientes de un pensamiento, un sentimiento, un recuerdo o un deseo. Podemos estar conscientes de un sonido, una sensación, una imagen, un sabor o un aroma. Estas experiencias internas o externas absorben nuestra atención y generan reacciones emocionales frente a ese objeto de nuestra atención.

Durante la meditación, la mente está despierta pero desconectada de los objetos internos o externos. La experiencia del reposo consciente trae paz a la mente y tranquilidad al cuerpo. Más importante aún es el hecho de que ese equilibrio que se logra en la meditación se mantiene durante los períodos de actividad. Los meditadores frecuentes observan un mayor grado de estabilidad durante el día.

Los pensamientos repetitivos que restringen nuestra perspectiva y limitan nuestra creatividad nos impulsan a buscar un alivio temporal por medio de conductas adictivas. La meditación ofrece una tecnología para lograr acceso a unos puntos de mira diferentes. Una mente equilibrada libre de ansiedad y turbulencia es más poderosa y creativa. Al desconectar la mente, podemos lograr acceso a la libertad y la creatividad que residen en el espacio entre los patrones de pensamiento condicionados. Al alternar la actividad con la inmersión periódica en el silencio, cultivamos la sanación, la creatividad y el equilibrio. La paz obtenida en la meditación se manifiesta en el pensamiento, la palabra y los actos.

Meditación para despertar el alma

La experiencia regular del reposo consciente a través de la meditación se traduce en beneficios físicos para el cuerpo, porque neutraliza los desequilibrios fisiológicos producto del estrés. La meditación también ayuda a mejorar el estado psicológico porque reduce la agitación mental asociada con la preocupación, el nerviosismo y el insomnio. Estas ventajas por sí solas reafirman el valor de la meditación como instrumento de sanación y transformación. Sin embargo, el papel tradicional de la meditación es servir de medio para el desarrollo espiritual, y es allí donde contribuye más profundamente a liberarnos de nuestros hábitos negativos.

El camino espiritual es el que nos lleva del sufrimiento a la paz. La vida es corta y está sembrada de dificultades. Todos los seres humanos vivimos momentos de confusión durante los cuales experimentamos ansiedad e inseguridad frente a lo que ha de venir. La práctica espiritual nos brinda la paz que necesitamos para sentirnos conectados con una dimensión de nuestro ser que está más allá de la preocupación derivada de la confusión. Realmente no importa si damos a esta dimensión el nombre de Dios, espíritu, naturaleza, inteligencia creadora o conciencia, a pesar de las batallas religiosas que se han librado por ese apelativo. Lo importante es tener acceso a ese ámbito de la conciencia a través de la experiencia directa.

Como parte del proceso de forjar nuestra individualidad, nos aferramos a las ideas, las personas y las cosas que nos presenta el mundo. Nuestra identidad –nuestro ego– se desarrolla a través de nuestras relaciones con los objetos externos. En la primera infancia, desarrollamos nuestro sentido de "yo" a través de nuestra conexión con los miembros de la familia. Este sentido de individualidad se expande rápidamente a través de nuestras relaciones con los sitios y las cosas, como juguetes, mascotas, escuelas. A medida que maduramos, acogemos ciertas ideas acerca del mundo y de nosotros mismos. A través de la retroalimentación que recibimos de quienes nos rodean, podemos concluir que somos inteligentes o tontos, bellos o feos, ágiles o lentos, amables o desagradables. Podemos apropiarnos de ideas religiosas y políticas e identificarnos como cristianos o musulmanes, liberales o conservadores. En la edad adulta definimos todavía más nuestra identidad a través de nuestras ocupaciones y responsabilidades: "soy abogado", "soy maestra", "soy madre".

Cumplimos una serie de funciones y nos apropiamos de un sinnúmero de cosas e ideas que cambian con el transcurso del tiempo. La pregunta espiritual esencial es: *¿Quién soy en medio de mis posiciones, posesiones y creencias?* La pregunta es esencial porque no podemos tener paz duradera mientras nuestra identidad permanezca afianzada en el ámbito del cambio. Si mi cargo en una organización define mi identidad, ¿entonces quién soy cuando dejo de ocupar ese cargo? Si el sentido de lo que soy depende de mi relación con otra persona, ¿quién soy cuando termina esa relación?

El valor espiritual de la meditación radica en la expansión del punto de referencia interna, que nos lleva a dejar de identificarnos con las funciones, las cosas y las creencias, para identificarnos con el aspecto de nuestro ser que sencillamente es consciente. Mi conciencia siempre presente de observador proporciona la continuidad a mis experiencias en el mundo, pero trasciende todos los objetos de identificación. Cuando Siddhartha Gautama se convirtió en el Buda, sus discípulos le pidieron que se definiera a sí mismo. ¿Acaso era Dios? ¿Un profeta? ¿Un santo? El maestro iluminado declaró humildemente que la forma más veraz de responder a la pregunta era diciendo sencillamente: "Estoy despierto".

El cambio del punto de referencia interno ocurre espontáneamente a través de la práctica constante de la meditación, durante la cual se aclara cada vez más la experiencia de estar consciente pero sin actividad mental. La experiencia directa de "estar despierto" comienza a imbuir todas nuestras actividades cotidianas. Tenemos más presente nuestra conciencia subyacente mientras representamos nuestros distintos papeles en el mundo. La experiencia regular del reposo consciente cultiva la psicología de una mente serena y despierta y de un cuerpo en el cual nos sentimos a gusto. Hace posible un estado de paz emanada del interior independientemente de las fuentes externas. Anclados en esa plataforma de reposo consciente, perdemos la compulsión de alterar la conciencia mediante las drogas y el alcohol, porque esas sustancias impactan negativamente el estado de paz interior.

Para iniciarse en la meditación

Hay muchos caminos para llegar al silencio. Sin una técnica formal, la mayoría de las personas han podido vislumbrar la brecha entre los pensamientos a través de experiencias que los dejan "sin aliento". Una magnífica puesta de sol, un arco iris hermoso, o la vista sorprendente de las montañas, pueden ubicarnos totalmente en el presente y acallar temporalmente el cotorreo de la mente. Oír un canon de Bach, recibir un masaje maravilloso, disfrutar de una cena deliciosa o llegar al orgasmo en el sexo también puede aquietar la mente y relajar el cuerpo temporalmente.

La práctica de la meditación es un camino fiable para llegar al reposo consciente, independientemente de las circunstancias. El acceso directo al silencio más allá del caos de los mundos interno y externo es un buen aliado en nuestra búsqueda de la paz.

En el Centro Chopra, enseñamos a nuestros huéspedes la práctica conocida como "meditación con sonidos primordiales". Se trata de una técnica antigua en la cual se utiliza un mantra escogido especialmente con base en la hora, el lugar y la fecha de nacimiento. Con esta técnica, hemos visto que cualquiera, sin importar sus experiencias previas, su religión o su edad, puede aprender rápidamente a acallar el cotorreo interno y a relajarse. Tenemos más de setecientos instructores certificados para enseñar la meditación con sonidos primordiales en el mundo, de manera que la mayoría de las personas pueden tener acceso a esta práctica (consulte la sección sobre Recursos para encontrar un instructor cerca de usted).[10]

Para los lectores que no puedan tener acceso fácil a uno de nuestros instructores calificados, sugerimos iniciar la práctica de meditación utilizando la respiración y un mantra simple pero eficaz. Es la técnica del "so-jam".

Técnica de meditación con "so-jam"

1. Siéntese en un lugar cómodo donde no haya interrupciones.
2. Cierre los ojos y respire varias veces lentamente.
3. Repase su cuerpo y acomode su posición de manera que no sienta tensión muscular alguna.
4. Comience a observar la entrada y salida de su respiración.

5. Repita mentalmente el sonido "so" con cada inhalación y el sonido "jam" con cada exhalación.
6. Una vez que haya establecido un cierto ritmo con la repetición mental de so-jam, aparte su conciencia de la respiración.
7. Cuando se dé cuenta de que ha dejado de repetir mentalmente el mantra y se ha perdido en medio de una ráfaga de pensamientos, lleve suavemente su atención al mantra.
8. Cuando se dé cuenta de que ha puesto su atención en algún sonido del ambiente, llévela suavemente al mantra.
9. Adopte frente a la interrupción provocada por los pensamientos o los sonidos una actitud interna de que "todo lo que suceda durante la meditación está bien".
10. Practique la meditación durante quince o veinte minutos dos veces al día, en la mañana y en la noche.

Pautas generales para la meditación

Tome conciencia del mantra

La repetición del mantra so-jam no debe implicar esfuerzo alguno. No necesita pronunciarlo claramente en su mente sino tener apenas una vaga noción del sonido, como una especie de vibración o impulso. Si parece que la velocidad, el ritmo o la pronunciación del mantra cambian, no oponga resistencia ni trate de controlar el proceso.

1. Permita que sus pensamientos vayan y vengan

Las personas que inician su práctica de meditación suelen preocuparse por el alud de pensamientos. Los pensamientos son un componente natural de la meditación y no es posible obligarse a no pensar. Habrá muchos momentos durante la meditación en los cuales la mente abandonará el mantra para dedicarse a otros pensamientos. Usted podrá descubrir que su mente se ha dedicado a pensar en cosas del pasado o en cosas que usted querría en el futuro. Podrá descubrir quizás que su mente se ha concentrado en las sensaciones de su cuerpo o los sonidos del ambiente.

Cada vez que se dé cuenta de que su atención se ha apartado del mantra so-jam, llévela suavemente de regreso al mantra. Si descubre que su atención se ha perdido entre la mar de pensamientos sobre el sitio donde desea cenar, la película que vio la noche anterior, los problemas del trabajo o una realización personal profunda, llévela suavemente de regreso al mantra.

2. No luche contra el sueño

Si su cuerpo está fatigado en el momento de sentarse a meditar, es probable que el sueño se apodere de usted. No luche contra el sueño. La meditación es una oportunidad para restablecer el equilibrio de la mente y el cuerpo, de manera que si necesita dormir, hágalo. Cuando despierte, siéntese y medite con el mantra so-jam durante unos diez minutos.

Si se da cuenta de que lo invade el sueño la mayoría de las veces, probablemente es porque le hace falta dormir mejor durante la noche. Comience un programa regular de ejercicio durante el día, minimice el consumo de cafeína, no recurra al alcohol para tranquilizarse y trate de dormirse a más tardar a las 10 p.m. Nos referiremos en más detalle a la rutina diaria ideal en el próximo capítulo.

3. Entréguese al espacio entre los pensamientos

A medida que su mente se aquiete con la meditación, podrá experimentar momentos en los cuales, pese a estar consciente y despierto, su mente estará vacía, sin pensamientos, ni mantras ni nada. Con la práctica constante, esa clara conciencia a la cual tiene acceso durante la meditación comenzará a estar presente en todos los momentos de su vida. La relajación que obtiene durante la meditación se extenderá a sus momentos de actividad.

Imprima poder a sus intenciones por medio del silencio

Durante los últimos quince años, hemos atendido a decenas de miles de personas que desean poder tomar decisiones más sanas. La dificultad para traducir las buenas intenciones en obras es universal. Con base en nuestras observaciones, hemos llegado al convencimiento de que el medio más poderoso para imprimir poder a las intenciones es a través de la práctica constante de la meditación. Al igual que el arquero que se dispone a lanzar su flecha, cuando aquietamos la mente podemos concentrar toda nuestra atención en nuestros objetivos, a fin de aportar la energía necesaria para manifestar nuestros deseos.

La mayoría de las personas que acuden al Centro Chopra con el propósito de transformar sus hábitos malsanos en hábitos sanos logran el éxito, por lo menos durante un tiempo. Cada vez que nos llega alguien que pudo modificar sus conductas pero recayó posteriormente, siempre comenzamos con la pregunta siguiente: ¿Todavía medita dos veces al día? Y debemos repetir que nunca hemos visto recaídas en personas que adoptan la práctica de meditar con regularidad. La meditación proporciona la base para el compromiso consciente de sanar y transformarse. Lo instamos a destinar tiempo para acallar su mente todos los días al menos durante quince minutos o, lo que es mejor, treinta minutos en dos momentos del día.

4

Desintoxique su cuerpo, su mente y su alma

MURIEL SABÍA QUE HABÍA LLEGADO EL MOMENTO de dejar de fumar. Llevaba diez años fumando un paquete al día y se había acostumbrado a racionalizar su hábito. Pero a causa de la tos seca persistente y de la creciente dificultad para encontrar un sitio donde pudiera fumar, se sentía lista para abandonar su hábito.

Ingresó durante una semana al Centro Chopra, donde la instamos a renunciar a su taza de café de la mañana y a su copa de vino de la noche, mientras al mismo tiempo recibía masajes diarios con aceites aromatizados con hierbas y comidas vegetarianas sanas. Además de sus meditaciones dos veces al día y sus sesiones de yoga, bebía infusiones de hierbas purificadoras y masticaba astillas de canela cada vez que sentía el apremio de encender un cigarrillo. Al tercer día, los síntomas de abstinencia de la nicotina eran insoportables, pero decidió seguir adelante. Al terminar la semana, podía pasar horas enteras sin pensar en el cigarrillo, y seis meses después ya no sentía necesidad alguna de fumar.

El novelista Tom Robbins dijo alguna vez que solamente hay dos mantras en la vida: "delicioso" y "espantoso". Esta idea aparentemente jocosa encierra una verdad profunda, puesto que todo lo que experimentamos en últimas eleva nuestro nivel de placer o lo disminuye. Desde ese punto de vista, nuestro propósito debe ser ingerir más cosas que nos produzcan agrado (deliciosas) y menos que nos produzcan desagrado (espantosas).

Toda decisión en la vida puede tener cuatro resultados posibles. En una primera situación, la experiencia inicial es placentera, pero las consecuencias de largo plazo son dolorosas. Inyectarse heroína, aspirar cocaína, comerse toda una torta de queso con chocolate, o irse de noche de pasión con la pareja del mejor amigo son ejemplos de un placer inmediato que puede traducirse en sufrimiento más adelante.

En un segundo grupo entran las experiencias en las cuales se posterga el placer inmediato a la espera de un beneficio a largo plazo. Estudiar para un examen final, prepararse para una maratón, crear un presupuesto para el hogar y hacer aportes frecuentes a un plan de ahorro para la jubilación son ejemplos de esas experiencias.

En el tercer grupo están las decisiones que tienen consecuencias negativas tanto a corto como a largo plazo. No hay muchos incentivos obvios para esta clase de situación, pero la persona que se siente profundamente deprimida, arrepentida o descontenta consigo misma puede adoptar comportamientos autodestructivos que generan sufrimiento inmediato y crónico. Conducir irresponsablemente, romper intencionalmente una ventana con la mano, o amenazar con suicidarse son ejemplos de esta forma distorsionada de pensar. También en estas situaciones la forma de actuar tiene como motivación la esperanza de poder reducir de alguna manera el sufrimiento. Tristemente, las consecuencias para la salud de un acto autodestructivo fallido pueden incrementar el sufrimiento en lugar de reducirlo.

La cuarta categoría y la más deseable es aquella en la cual las decisiones se traducen en beneficios inmediatos y de largo plazo. Estas son las decisiones más favorables para la vida, puesto que generan vitalidad física y emocional en lugar de agotarla. La práctica diaria de la meditación, un programa balanceado de ejercicio, una alimentación nutritiva y deliciosa, y unas relaciones afectuosas con los demás encajan dentro de esta categoría.

Aprender a tomar decisiones que producen placer perdurable es el secreto para una vida de paz y bienestar. Por lo general, las lecciones que aprendemos por experiencia directa son las que tienen el mayor impacto sobre nuestras decisiones futuras, pero se ha dicho que la persona necia aprende de sus propios errores, mientras que la persona sabia aprende de los errores de los demás. Exploremos lo que otros han aprendido sobre este concepto de maximizar las experiencias benéficas y minimizar la toxicidad.

La importancia de desintoxicar

La desintoxicación es un componente esencial del método del Centro Chopra. Trátese de toxicidad física o emocional, una de nuestras premisas es que todo factor que inhiba el libre fluir de la energía en la mente y el cuerpo debe liberarse a fin de promover la salud y la felicidad. Hemos identificado cuatro componentes fundamentales para el éxito de un proceso de desintoxicación: identificación, movilización, eliminación y rejuvenecimiento.

El ayurveda, la milenaria medicina tradicional india, propone un programa excelente de desintoxicación. Es innegable que, pese a tener más de 5000 años, los principios básicos de este sistema de purificación son pertinentes para nuestra visión actual del mundo.

El concepto más importante en ayurveda es *agni,* cuyo significado literal es "fuego". El término "ignición" se deriva del sánscrito *agni. Agni* es el fuego interno encargado de digerir las experiencias y transformarlas en sustancia para la mente y el cuerpo. Cuando el *agni* es fuerte y robusto, podemos metabolizar la toxicidad y convertirla en alimento; sin embargo, cuando el *agni* es débil, hasta el néctar se convierte en veneno.

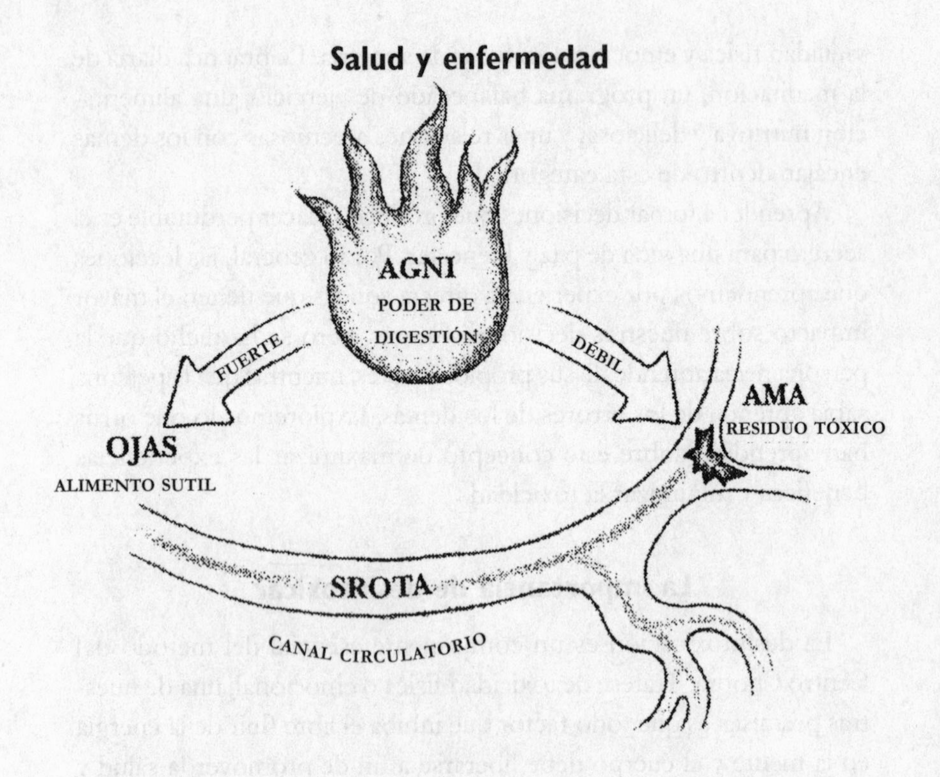

Con el tiempo, un *agni* débil lleva a la acumulación de residuos sin digerir, conocidos en ayurveda con el nombre de *ama*. Estos residuos tóxicos se acumulan y comienzan a interferir con la circulación de la energía vital en el cuerpo. El *ama* acumulado provoca fatiga, depresión, dolor crónico, indigestión y desequilibrio inmune, y es terreno abonado para la enfermedad.

Podemos considerar el *ama* en varios niveles. A nivel físico, el *ama* se puede asimilar a la acumulación de alimento mal metabolizado. Si usted ingiere más grasa o calorías de las que su cuerpo necesita, depositará celulitis en sus tejidos o colesterol en sus vasos sanguíneos. Con el tiempo, enfermará como consecuencia de la acumulación de grasa en sus arterias.

Si no procesa totalmente una experiencia emocional, podrá cargar con el residuo de la emoción dolorosa en forma de tristeza, hostilidad o remordimiento. Los sentimientos indigestos provocan unas reacciones previsibles que le impedirán estar totalmente presente en sus relaciones del momento. Esa es una expresión de *ama* emocional.

También se puede cargar con el residuo de una creencia tóxica. Si usted creció con determinadas ideas sobre usted mismo o sobre el mundo, que se interponen en su camino al éxito, la felicidad y el amor, esas ideas pueden asimilarse al *ama* psicológico. Al liberarse de las ideas tóxicas, la información benéfica entra a ocupar su lugar en la mente.

El *ama* material puede tener consecuencias dañinas para la vida de la persona. Una persona hace un gran esfuerzo para comprar una casa más grande y adquiere una hipoteca. Después lucha cada mes para hacer los pagos, con lo cual restringe su libertad financiera o la posibilidad de tener abundancia. El consiguiente estrés puede asimilarse a un *ama* económico derivado de la adquisición de más bienes de los que se podían digerir. Con el tiempo, ese estado de toxicidad se traducirá en sufrimiento físico o emocional.

El *agni* nos brinda una metáfora muy apropiada para los principios esenciales de la vida. Por ejemplo, si usted desea una buena fogata en su campamento para calentarse y cocinar los alimentos, necesitará la proporción correcta de combustible y aire. Si hay demasiado aire, el fuego se apagará. Si no hay suficiente aire, la fogata carecerá de oxígeno. Si la cantidad de combustible excede la capacidad del fuego para metabolizarlo, se producirá humo y al final sólo quedarán los restos carbonizados. Según el ayurveda, el aire representa el cambio y el combustible representa la estabilidad. La evolución a través de fases de cambio y de estabilidad. Cuando hay exceso de cambio o de estancamiento, no puede haber una evolución sana. Una vida sana depende del equilibrio dinámico entre las experiencias nuevas y la constancia. Cuando logramos mantener ese equilibrio, sentimos entusiasmo por la vida y evitamos espontáneamente los hábitos malsanos. Cuando experimentamos demasiados cambios, podemos sentir la necesidad de utilizar sustancias para reducir la ansiedad. Cuando faltan experiencias nuevas, podemos recurrir a las sustancias para combatir la monotonía y el tedio.

Un fuego vivo genera calor y luz. En términos humanos, cuando generamos calor suficiente, irradiamos cariño, amor y compasión a quienes nos rodean. Si el calor es demasiado intenso, nos tornamos irritables y críticos, y carbonizamos emocionalmente a quienes nos rodean. Si nuestro fuego interno es débil, nos mostramos fríos y distantes. La luz de nuestro *agni* interno disipa la oscuridad a nuestro alrededor. Las luces derivadas de un *agni* sano iluminan nuestro camino de manera que es menos probable que tropecemos con los obstáculos que se alzan a lo largo de la ruta.

El *agni* nos enseña que una experiencia pasada sin metabolizar genera influencias negativas en el presente. Esa es la esencia del *ama*. Así, suspender la ingesta de nuevas experiencias tóxicas e identificar, movilizar y eliminar el *ama* existente son pasos fundamentales para la purificación.

Reducir la ingesta tóxica

La filosofía clásica del yoga incluye la práctica conocida como *pratyahara*. *Pratya* significa "replegarse" o "retirarse", y *ahara* significa "alimento". *Pratyahara* significa "apartarse del alimento sensorial que suele inundar la mente". Es allí donde comienza la desintoxicación.

Cuando nos involucramos en una experiencia sensorial, provocamos cambios psicológicos, emocionales y físicos. Si el efecto neto de una experiencia deja una sensación de placer, se crea un recuerdo que aviva el deseo de experimentar más. El proceso es el mismo, bien sea que la experiencia sensorial sea un helado con salsa de chocolate caliente, una meditación relajante o un pase de cocaína. Los cambios fisiológicos predisponen a la dependencia de la fuente externa de placer. Cuando desaparece la fuente de gozo, se producen sensaciones de malestar y descontento que nos inducen a buscar la forma de llenar el vacío.

Usar el poder de la intención

La técnica de *pratyahara* introduce un elemento nuevo en el proceso, a saber, el poder de la intención. Cuando deseamos algo de lo cual nos hemos privado durante mucho tiempo, además de la abstinencia, sentimos rebajado nuestro amor propio. La química interior de esa sensación de no tener el control contribuye al malestar e intensifica el anhelo de tener el objeto que podría aliviar el apremio. Si logramos un cambio mental para no sentir que nos "privan del algo" sino que "renunciamos" a ese algo, el acto de renuncia voluntaria genera unos cambios neuroquímicos positivos.

En eso radica la esencia de *pratyahara*: pasar a la intención de renunciar como un acto que nos proporciona poder. Un período de abstinencia sensorial sirve para reorganizar la fisiología y permitir la generación interna de las sustancias químicas del bienestar. Así, el *agni* mental y físico puede entrar a digerir las obstrucciones acumuladas en el pasado a fin de permitir el flujo de la energía vital.

Pratyahara en la práctica

Las adicciones graves como el alcoholismo y la dependencia de los narcóticos, por lo general, exigen un escenario controlado para reducir la tentación de los hábitos nocivos. En los casos de hábitos un poco menos dañinos, la práctica de *pratyahara* sirve de fundamento para liberarse de ellos. Veamos cómo sucede en la práctica con el hábito diario de fumar marihuana, por ejemplo.

Un fin de semana sin la sustancia

Póngase una cita con usted mismo para hacer realidad su intención. Al igual que en todos los acontecimientos importantes, tendrá que prepararse para asegurarse de que todo ocurra de acuerdo con el plan. Defina el tiempo y el espacio destinados a liberarse de su hábito.

Seguramente le será difícil mantener la concentración requerida si no suspende sus actividades habituales. Por tanto, es preferible destinar un fin de semana sin trabajo o el comienzo de las vacaciones. Por ejemplo, decida que, a partir del próximo sábado, abandonará el consumo de cannabis por cuarenta días.

Una vez elegida la fecha, elimine cualquier posibilidad de seducción que pudiera presentarse mientras trabaja en su cambio de mentalidad. Elimine todas las reservas de marihuana que pueda tener en su espacio personal. Si tiene amigos con quienes se reúne habitualmente para fumarla, no haga planes para verlos hasta que detecte un nuevo patrón en su mente y su cuerpo.

Establezca un programa de actividades para realizar cuando inicie el proceso de desintoxicación, a fin de no tener tiempo para aburrirse o desesperarse. Elija comportamientos purificadores y benéficos. Algunas posibilidades son las siguientes:

- Una caminata en el campo.
- Un largo paseo en bicicleta.
- Una sesión de ejercicio en el gimnasio.
- Una visita a un museo o a una galería de arte.
- Una clase de yoga.
- Un masaje.
- Una cena para usted y sus amigos que no consumen sustancias psicoactivas.
- Una clase de arte, música o actuación.

Una vez elaborado su programa, proceda a concertar las citas o a hacer las reservaciones pertinentes y consiga los implementos o el equipo necesario. Compre una buena reserva de meriendas saludables en la tienda naturista de su localidad. Compre ropa apropiada para asistir a su primera clase de yoga. Compre los ingredientes para las cenas sanas y deliciosas que piensa preparar.

Concentre su intención durante todo el fin de semana en una cosa solamente: desintoxicarse. Evite todas las sustancias químicas de uso social. Tome nota de toda la información que recibe a través de sus sentidos y prefiera los estímulos que contribuyan a la relajación y a reafirmar sus intenciones. Destine tiempo para compartir con personas de su agrado, pero que no formen parte de su círculo habitual de amigos. Esta podría ser una buena oportunidad para cenar con una hermana o para reunirse con un viejo amigo a quien no ve desde hace tiempo. Experimente con algo nuevo que despierte su interés y su inspiración. La forma más eficaz de vencer los viejos hábitos es desarrollar otros distintos.

La desintoxicación del cuerpo

El hecho de simplificar la alimentación durante un fin de semana de desintoxicación permite recanalizar las energías para metabolizar las experiencias indigestas del pasado. Aunque sea solamente por un par de días, la alimentación simplificada le ayudará a reforzar su intención de desintoxicarse. Si logra mantenerla durante una semana, el éxito será un hecho.

Según la filosofía yogui, algunos alimentos son más fáciles de digerir que otros y deben preferirse durante el programa de purificación. En general, los alimentos derivados del reino vegetal, recién cosechados y bajos en calorías, purifican mucho más que los de origen animal, los alimentos secos empacados o los ricos en calorías. Durante los días iniciales del programa de purificación, trate de simplificar su alimentación consumiendo más frutas frescas de estación y verduras salteadas o al vapor. Evite los productos de origen animal y los alimentos procesados y muy refinados.

Alimentos de fácil digestión para ayudar a la purificación

- Sopa de lentejas rojas, arvejas amarillas y *mung dhal* (se consigue en los mercados indios y del Medio Oriente)
- Brócoli, zanahoria, calabacín, espárragos, coles de Bruselas, repollo, remolacha al vapor
- Verduras de hojas verdes, como espinaca, acelga y hojas de remolacha al vapor
- Arroz basmati, quinua, mijo y cebada
- Sopa de verduras
- Especias: jengibre, comino, semillas de cilantro, hinojo
- Semillas de linaza, ajonjolí, girasol y calabaza
- Peras y manzanas cocidas; albaricoques, ciruelas pasas e higos cocidos
- Bayas frescas, como frambuesas, arándanos azules y moras

Alimentos que deben reducirse o eliminarse durante la desintoxicación

- Quesos maduros
- Leche, crema; *está bien consumir pequeñas cantidades de mantequilla clarificada (ghee)*
- Productos de origen animal
- Azúcar refinado
- Productos de harina blanca refinada
- Alcohol
- Cafeína
- Chocolate
- Helados

Las tisanas de hierbas y los jugos recién preparados ayudan a limpiar el sistema. El té de jengibre fresco, preparado con una cucharadita de raíz de jengibre rallada en dos tazas de agua, purifica todos los niveles del tubo digestivo. La menta, la hierbabuena, la canela o la manzanilla refrescan y desintoxican. El Centro Chopra ha formulado una serie de tisanas de hierbas para equilibrar y desintoxicar, basadas en los principios centrales del ayurveda (véase la sección sobre Recursos profesionales).

Los huéspedes que participan en nuestro programa de un fin de semana en el Centro Chopra deben tratar de sujetarse a las siguientes pautas generales:

- Preferir los alimentos recién preparados, nutritivos y apetitosos; reducir los alimentos enlatados y las sobras.
- Preferir los alimentos suaves como el arroz, las sopas y las lentejas.
- Preferir las verduras al vapor o ligeramente salteadas.
- Evitar los alimentos fritos.
- Evitar bebidas y alimentos helados.
- Reducir la ingesta de productos lácteos.
- Evitar bebidas y alimentos fermentados. Entre ellos se cuentan el vinagre, los encurtidos, los quesos y el alcohol.
- Reducir al mínimo los aceites, salvo las semillas prescritas de ajonjolí y linaza.
- Preferir los granos menos pesados, como la cebada o el arroz basmati.
- Minimizar los azúcares refinados; se puede utilizar miel en poca cantidad, pero no para cocinar.
- Reducir la mayoría de las nueces; se pueden consumir semillas de girasol, calabaza, linaza o ajonjolí.
- Si no puede evitar los productos de origen animal, preferir las carnes blancas de pavo o pollo; evitar las carnes rojas, en particular el cerdo y la res.

- Beber con frecuencia durante todo el día agua caliente con jengibre fresco o rallado.
- No comer, a menos que sienta hambre verdaderamente, y no coma en demasía.
- No comer hasta haber digerido totalmente la comida anterior (tres a seis horas).

Receta de desintoxicación

Una comida fácil de preparar y que la mayoría de las personas pueden tolerar al menos durante unos días es el *kitchari,* una mezcla de arroz basmati y fríjoles verdes (*phaseolus aureus).*

Ingredientes:

Para cuatro porciones.

½ taza de fríjoles verdes (remojados la noche anterior)
1 taza de arroz basmati
1 cucharada sopera de mantequilla clarificada (*ghee*)
½ cucharadita de comino molido
½ cucharadita de semillas de cilantro molidas
½ cucharadita de hinojo molido
½ cucharadita de cúrcuma
1 cucharadita de sal
4 ½ tazas de agua

1. Lave el arroz con agua fría y mézclelo con los fríjoles remojados en una olla grande. Agregue las 4 ½ tazas de agua.
2. Cuando hierva la mezcla, baje el fuego y cocine a fuego lento hasta que se haya reducido casi la totalidad del agua (unos 30 a 40 minutos).
3. Derrita la mantequilla clarificada a fuego lento en una sartén y dore ligeramente las especias.

4. Añada las especias a la mezcla de arroz y fríjoles, y continúe la cocción hasta que tenga la consistencia de un guiso.
5. Si desea, añada verduras picadas (espinaca, calabacín, zanahorias, y demás durante esta última fase de la cocción.

Para una desintoxicación más profunda

Desde hace miles de años, el ayurveda ha ofrecido un sistema único y excelente de desintoxicación, conocido como *panchakarma*, término que significa "acción purificadora". Se refiere al proceso de movilizar y eliminar las toxinas del sistema, seguido de procedimientos específicos de rejuvenecimiento. Aunque es necesario realizar el programa bajo supervisión médica para obtener los mayores beneficios, los principios básicos que utilizamos en el Centro Chopra son aplicables para la desintoxicación.

Un aspecto singular de este método es la movilización y eliminación de las toxinas solubles en grasa. La base teórica es que las sustancias y los patrones que nos inducen a sacrificar el bienestar duradero a cambio del alivio inmediato se retienen en las membranas y tejidos de las células grasas. En otras palabras, las toxinas más nocivas son solubles en grasa, no en agua. Por tanto, beber ocho vasos de agua, tisanas de hierbas y jugos de fruta sirve solamente para eliminar una porción del *ama* tóxico inhibidor de la vitalidad.

A fin de llegar a niveles más profundos con la desintoxicación, es necesario movilizar y eliminar las toxinas solubles en agua, depositadas en el fondo de los tejidos. Para promover esta purificación intensiva, el ayurveda recomienda ingerir y aplicar aceites orgánicos puros a base de hierbas. Este proceso se conoce como "unción".

El principio de la unción se basa en extraer y eliminar las toxinas liposolubles, ingiriendo esos lípidos orgánicos. Los aceites se utilizan a través de dos rutas: ingeridos y aplicados sobre la piel. Aunque en la tradición ayurvédica se han prescrito tradicionalmente diversos tipos de aceites, hemos visto que la forma más fácil de beneficiarse de la unción interna es consumiendo semillas ricas en aceite.

Las semillas de linaza y de ajonjolí tienen una serie de cualidades favorables para la desintoxicación. Las semillas de linaza son ricas en ácidos grasos omega 3 de efecto antiinflamatorio, y en fitoestrógenos reguladores de las hormonas. Se ha demostrado que reducen los niveles de colesterol en la sangre e inhiben el crecimiento de las células cancerosas.[1] Las semillas de linaza son una buena fuente de fibra soluble e insoluble, que estimula los movimientos intestinales.

Las semillas de ajonjolí han sido muy apreciadas durante miles de años en Asia y el Medio Oriente. Poseen propiedades antibacterianas y antivirales naturales, y se ha demostrado que frenan el crecimiento de las células cancerosas.[2] Ricas en propiedades antioxidantes y antiinflamatorias, las semillas de ajonjolí son una fuente importante de lignanos, unas sustancias químicas naturales de origen vegetal que reducen el riesgo del cáncer de mama, próstata, colon y pulmón.

En preparación para la desintoxicación, consuma semillas de linaza y ajonjolí durante varios días antes de la fecha en la que va a "parar". Mezcle un cuarto de taza de semilla de linaza cruda con un cuarto de taza de semilla cruda de ajonjolí. Caliéntelas al tiempo en una sartén hasta que la primera semilla reviente y después tritúrelas en una máquina para moler café. Consuma una cucharada de semillas molidas cuatro veces al día (después de cada comida y antes de irse a dormir). Si no tiene tiempo para preparar la mezcla, puede obtener beneficios semejantes si consume una cucharadita de tahini (semillas de ajonjolí molidas) junto con una cucharadita de aceite de linaza cuatro veces al día. Debe notar que mejoran sus movimientos intestinales y su digestión en general.

La aplicación de aceites puros en la piel también tiene por objeto aflojar y movilizar las toxinas. Los aceites benéficos para los masajes son los de ajonjolí, almendra, oliva, coco, semilla de mostaza, girasol y cártamo. Durante el período de desintoxicación, puede ayudar a facilitar el proceso si recibe o se aplica un masaje diario. El automasaje se denomina *abhyanga* y es uno de los componentes más importantes del programa de desintoxicación en el Centro Chopra.

Automasaje completo

Para este masaje completo, necesitará solamente unas pocas cucharadas de aceite tibio. Comience por el cuero cabelludo con pequeños movimientos circulares, como si estuviera aplicando el champú. Con movimientos suaves, aplique el aceite en la frente, las mejillas, el mentón y las orejas. El masaje lento de la parte posterior de las orejas y las sienes tiene un efecto calmante.

Aplique una pequeña cantidad de aceite en el cuello y la nuca, y pase después a los hombros. En los hombros y los codos, realice el masaje con movimientos circulares, y en los brazos y antebrazos, aplique el aceite con movimientos largos.

Utilice movimientos circulares grandes y suaves para el masaje del pecho, el estómago y el abdomen, y movimientos verticales sobre el esternón. Ponga un poco de aceite en las dos manos y trate de llegar con el masaje a la espalda y la columna.

Lo mismo que en los brazos, aplique el aceite con movimientos circulares en las rodillas y los tobillos, y con movimientos largos en las piernas y los muslos. Utilice el aceite restante para los pies, prestando atención especial a los dedos.

Minimasaje

Si desea dormir bien, el masaje de la cabeza y los pies es el más importante. Frote suavemente el cuerpo cabelludo con una cucharada de aceite tibio, describiendo movimientos pequeños y circulares como se mencionó anteriormente. Pase la palma de la mano de lado a lado sobre la frente, para hacer un masaje suave. Después pase a las sienes y la parte posterior de las orejas. Dedique un poco más de tiempo al cuello y la nuca.

Prepare una segunda cucharada de aceite para el masaje de los pies. Utilice movimientos firmes para las plantas y termine con el masaje de los dedos. Siéntese tranquilamente durante unos momentos mientras penetra el aceite, y después tome un baño o una ducha con agua no muy caliente.

Otro componente importante de la purificación *panchakarma* consiste en aplicar calor al cuerpo. Hay una serie de mecanismos para incrementar la temperatura corporal, entre ellos el consumo de hierbas picantes, la inmersión en baños de vapor, los emplastos de hierbas y la aplicación de aceites calientes. Al calentar el cuerpo, se licúa el *ama* y se dilatan los canales de circulación. La transpiración inducida por el calor facilita la liberación de las toxinas.

El día en que inicie el proceso de eliminar de su vida una sustancia o una conducta tóxica, prepárese un baño de tina y disuelva en el agua una cucharada de jengibre seco en polvo. Mientras descansa en el agua durante diez o quince minutos, visualice cómo se disuelven las toxinas de su cuerpo en el agua que pronto irá a parar a las cañerías. Si tiene acceso a un baño de vapor, utilícelo un par de veces al día a fin de expulsar las toxinas acumuladas. Añada unas gotas de aceites aromáticos purificadores como eucalipto, enebro, albahaca o menta a la fuente del vapor, a fin de inhalar los aceites esenciales mientras disfruta del baño.

Eliminación

La literatura ayurvédica tradicional sobre *panchakarma* describe una serie de procedimientos de eliminación cuyo objeto es liberar las toxinas a través de las vías respiratorias y digestivas. Aunque la mayoría requiere supervisión médica, algunos de ellos se pueden realizar en casa.

Para facilitar la salida del *ama* a través del sistema digestivo, ensaye una fórmula suave pero eficaz conocida como *triphala,* palabra que en sánscrito significa "tres frutas". Esta preparación a base de partes iguales de *amalaki (Emblica oficinales), haritaki (Terminalia chebula) y bibhitaki (Terminalia belerica)* se ha utilizado durante miles de años para promover la eliminación sana a través del sistema digestivo, y se consigue fácilmente en las tiendas naturistas. Los estudios han demostrado que, además de sus efectos eliminativos, esta preparación posee propiedades antioxidantes y ayuda a restaurar el sistema inmune.[3,4] Junto con las semillas de linaza y ajonjolí, la *triphala* promueve la eliminación del *ama* que bloquea el flujo de la energía del cuerpo.

Puede ensayar un proceso simple de desintoxicación de las vías respiratorias conocido en sánscrito como *neti*. Se hace con agua tibia con sal y con la ayuda de un recipiente de irrigación nasal hecho de plástico o cerámica. Inserte la punta cónica del recipiente en una fosa nasal, incline la cabeza de medio lado y permita que la solución salina tibia fluya por esa fosa nasal y salga por la otra. El efecto de limpieza de los pasajes nasales es mayor si se pone una bolsa de té con especias aromáticas en el agua. Si usted es susceptible a las alergias o a las infecciones sinusales frecuentes, una limpieza una o dos veces al día puede reducir sustancialmente los síntomas.[5] Es común entre quienes entran en abstinencia de las sustancias adictivas presentar congestión nasal; de allí que este procedimiento suave pueda acelerar la desintoxicación, la sanación y el equilibrio.[6]

Recipiente para el neti

El manejo del ansia

Hasta las relaciones tóxicas satisfacen alguna necesidad, razón por la cual es común ansiar el antiguo hábito, aunque tanto la mente como el cuerpo sientan que han descansado al liberarse de él. Las ansias suelen ser peores en los primeros días, pero pueden reaparecer hasta semanas o meses después. En esos momentos, le conviene recordar que ha superado la etapa más difícil de la abstinencia y que, con un poco de paciencia, podrá capotear la tormenta del nuevo impulso.

También es útil planear de antemano lo que hará para manejar la tentación. Podrá evitar la recaída si desarrolla un ritual infalible, como salir a caminar, tomar un baño caliente, asistir a una clase de yoga o llamar a uno de los amigos que le han brindado apoyo. Debe saber que el impulso es como una ola que sube y baja. Si logra respirar durante la fase más intensa de la ansiedad, notará que esta comienza a desvanecerse y que usted puede superar la prueba. Cada vez que logre manejar exitosamente el ansia, irá adquiriendo confianza para manejar exitosamente su vida.

Rejuvenecimiento físico

Después de un fin de semana de desintoxicación, las células y los tejidos de su cuerpo estarán ávidos de experiencias benéficas. Expóngase conscientemente a sonidos, sensaciones, imágenes, sabores y aromas de fácil digestión, a fin de garantizar que el *agni* pueda metabolizar y convertir en alimento toda la energía y la información sensorial. En el capítulo siguiente, exploraremos la forma de ingerir conscientemente la energía y la información del medio ambiente, para que se convierta en un apoyo para el equilibrio, la sanación y la transformación.

5

Alimente su cuerpo, nutra su mente

María tenía una relación confusa con la comida desde que tenía memoria. Al ser una de seis hermanos, no recuerda haber recibido mucha "atención materna" cuando era pequeña. A pesar de la actividad incesante de su hogar, recuerda haberse sentido sola y haber recurrido al pan con mantequilla de maní y mermelada para consolarse. La forma inapropiada como su hermano mayor la tocaba le había creado confusiones con respecto a su cuerpo y a sus sensaciones físicas.

Durante la adolescencia, se avergonzaba de su figura y fue entonces cuando comenzó un proceso de más de diez años de intentos fallidos por controlar su peso. Su lucha por encontrar paz frente a la comida oscilaba entre las dietas restrictivas y los atracones y purgas. Se sintió atraída por el sistema ayurvédico porque sentía que su problema era más una cuestión de equilibrio que de control, y desesperaba por hallar el equilibrio en su vida.

Al final de la semana en el Centro Chopra, María contaba con las herramientas necesarias para llevar un estilo de vida consciente y se había comprometido con tres cosas. La primera era destinar tiempo para meditar durante media hora dos veces al día. La segunda era iniciar un programa regular de ejercicios de yoga, resistencia y capacidad cardiovascular. La tercera era comer solamente cuando su cuerpo (no su mente) le enviara señales de que realmente tenía hambre, y dejar de comer cuando se sintiera satisfecha y no llena.

Cuando regresó nueve meses después para asistir a un seminario, estaba irreconocible. Había perdido casi quince kilos pero, más importante aún, todo su ser irradiaba seguridad y serenidad. Nos dijo que se sentía más conectada consigo misma que nunca antes en su vida.

La esencia de la sanación está en poder transformar el diálogo interior que dice *"soy un adicto incapaz de controlar mis decisiones"*, en otro que diga *"soy un ser espiritual capaz de utilizar mi don del libre albedrío"*. El gran filósofo y escritor J. Krishnamurti describía ese estado como "conciencia sin alternativas". Desde esa perspectiva, reconocemos que las experiencias del pasado no condicionan nuestro estado esencial. En esencia, somos un campo de posibilidades infinitas y vivimos en un estado natural de libertad. Este cambio de identidad es la cura de la adicción.

Usted tiene un cuerpo, una mente y un alma. Su cuerpo es un campo de moléculas tejido a partir de la materia prima del medio ambiente. Su mente es un campo de pensamientos, tejido a partir de su forma de percibir e interpretar sus experiencias. Su alma es un campo de conciencia del cual emergen la realidad subjetiva de su mente y la realidad objetiva de su cuerpo. La sustancia de su cuerpo y de su mente refleja la calidad de las experiencias que usted ingiere. Este es un principio fundamental del ayurveda: las experiencias se metabolizan en la biología. Una mente feliz y un cuerpo vital son la prueba de que sus experiencias le han servido de alimento. Una mente perturbada y un cuerpo agotado son indicio de que debe cambiar sus percepciones, sus interpretaciones o sus experiencias.

Percibimos el mundo a través de nuestros cinco sentidos. Los sonidos que oímos, las sensaciones que sentimos, las imágenes que vemos, los alimentos que saboreamos y los aromas que olemos se convierten en la sustancia de nuestros pensamientos y de nuestras moléculas. Aunque no podemos controlar todas y cada una de nuestras experiencias, podemos optar por incrementar las que nos nutren y minimizar las que nos intoxican. Exploremos cada uno de los sentidos para ver cómo transformar el malestar en bienestar.

Los sonidos de vida

Los seres humanos tenemos la capacidad de procesar la información auditiva desde el segundo trimestre de la vida fetal. Las generaciones anteriores imaginaban el útero como un lugar silencioso, pero ahora sabemos que a través de los líquidos que rodean al bebé se filtra una abundancia de sonidos y ruidos. Comenzamos a oír a los seres que nos rodean y los ruidos del mundo que nos espera mucho antes de iniciar el viaje por el canal del parto.

El oído humano es capaz de percibir una gama de vibraciones entre los 50 y los 20 000 ciclos por segundo. A manera de comparación, los perros, los murciélagos, los ratones y los pulpos pueden oír sonidos que están por encima de nuestro umbral (ultrasónicos), mientras que los elefantes, las ballenas y los hipopótamos pueden enviar y recibir vibraciones muy por debajo de nuestro rango (sonidos infrasónicos). En nuestro caso, la intensidad y la calidad de los sonidos de nuestro entorno influyen sobre la calidad de nuestra vida. Los sitios más silenciosos de la Tierra, como el Gran Cañón, por ejemplo, registran un ruido ambiente de 20 decibeles aproximadamente. En el centro de una granja agrícola, el nivel típico del sonido está en 45 decibeles. Los centros de la mayoría de las ciudades metropolitanas pueden alcanzar un promedio de 80 decibeles, mientras que un avión de propulsión a chorro puede alcanzar los 100 decibeles en el momento de despegar.

La contaminación sonora ejerce un efecto nocivo sobre la salud de los seres vivos. Los estudios han documentado que la toxicidad crónica por ruido genera tensión emocional y ansiedad, y también obstaculiza el aprendizaje y el desempeño mental. Altera la neuroquímica del cerebro, perturba los patrones de sueño y aumenta la necesidad de consumir somníferos. El ruido crónico se asocia con la hipertensión y el debilitamiento del sistema inmune. Por desgracia, las unidades de cuidados intensivos y los departamentos de urgencias de los hospitales se cuentan entre los lugares más ruidosos del planeta.

La vida en un ambiente tóxico crea desasosiego. Las voces hostiles y beligerantes pueden ser uno de los sonidos más tóxicos a los que nos exponemos. Si en la infancia una persona se vio expuesta repetidamente al sonido de voces que ordenaban, humillaban e intimidaban, su impulso de huir o luchar se activaba provocándole miedo y hostilidad. Pero la mayoría de los niños no pueden crear un ambiente seguro para sí mismos. Con el tiempo, esas voces amenazadoras se interiorizan y se traducen en culpabilidad, depresión y pérdida del amor propio. Una forma de manejar esas voces tóxicas provenientes tanto del exterior como del interior es mediante la automedicación. Pero el problema está en que una vez que el efecto de las drogas se desvanece, las voces tóxicas reaparecen.

Reemplazar los sonidos tóxicos por otros benéficos es crucial para la sanación y la transformación. Hay una destreza que permite acallar la turbulencia mental del pasado y mejorar la probabilidad de un diálogo benéfico en el futuro.

Sonidos que nutren

Tan importante como ingerir alimentos sanos es digerir sonidos benéficos. Aunque la mayoría de nosotros no tenemos la oportunidad de vivir en ambientes acústicamente nutritivos, podemos optar por minimizar conscientemente los sonidos tóxicos y maximizar los sonidos benéficos en nuestras vidas. Esto implica buscar y crear sonidos placenteros.

Los sonidos de la naturaleza representan el antídoto para la contaminación sonora de la vida urbana. A nuestros huéspedes del Centro Chopra los instamos a experimentar lugares donde los únicos sonidos que les lleguen sean los de la naturaleza, como olas que se rompen en la playa, la corriente de agua de un río, los llamados de cortejo de las aves. Los sonidos de la naturaleza son primordiales. Los hemos oído desde los albores de la humanidad y nos recuerdan nuestra conexión ecológica en un nivel visceral. Comprométase usted a recibir una dosis de los sonidos de la naturaleza con regularidad.

La música puede ser una fuente de vibraciones sanadoras. La música que calma, relaja o inspira influye sobre los niveles hormonales y la actividad fisiológica.[1,2] La música sirve para aliviar la depresión y la ansiedad, y para mitigar el dolor. También puede fortalecer las células inmunes. La música que disfrutamos genera endorfinas, los analgésicos naturales del cuerpo. Cuando administramos medicamentos para bloquear los efectos de los narcóticos sobre el cerebro, la persona pierde transitoriamente la capacidad de experimentar sensaciones agradables a través de la música.

Puesto que la música nos lleva a evocar recuerdos y sentimientos, puede cambiar en segundos el estado del cuerpo y de la mente. Una canción de amor en la radio revive recuerdos de los amores de juventud. Una canción de rock de los años sesenta trae a la mente las fiestas universitarias en las que se consumía droga. Una raga india cadenciosa puede evocar un verano de libertad durante un viaje por el Asia.

La poesía el canto, y los cánticos pueden ser sanadores. Preste atención a los sonidos tóxicos a los que se expone y comprométase a ingerir sonidos benéficos con regularidad. En la sección de las Notas aparece una lista de grabaciones que consideramos inspiradoras.[3] Permanecer consciente de los efectos de unas vibraciones sanadoras le ayudará a sustituir los hábitos dañinos por otros favorables para la vida.

El contacto afectuoso

Los mamíferos necesitan del contacto físico para desarrollarse normalmente. Hay estudios de muchos años atrás que afirman que el contacto afectuoso propicia un buen desarrollo físico y emocional. Los monos bebés cuyas madres los acarician y arrullan crecen más fuertes y más rápidamente que aquellos que crecen privados de afecto a pesar de tener todas sus necesidades básicas satisfechas. Los conejos alimentados con dietas ricas en colesterol depositan menos grasa en los vasos sanguíneos cuando se arrebujan entre ellos que cuando se mantienen aislados en jaulas independientes aunque limpias.

Los estudios sobre el valor del contacto afectuoso confirman que la piel es un portal poderoso de entrada a nuestra farmacia interna.[4-7] Necesitamos el contacto físico a fin de sobrevivir y desarrollarnos. Cuando los bebés prematuros reciben caricias y arrullo suben de peso un 50% más rápidamente y pueden darse de alta del hospital casi una semana antes que aquellos que no reciben estímulo táctil. El contacto físico mejora la producción de endorfinas, y en consecuencia reduce la necesidad de analgésicos después de una cirugía o para mitigar el dolor del cáncer. Se ha demostrado que el masaje mejora la función inmunitaria y la digestión, reduce el estado de agitación en los casos de Alzheimer, y baja la presión arterial.

Desde la perspectiva del ayurveda, la aplicación de aceites puros con extractos de hierbas sobre la piel estimula la eliminación de las toxinas. Durante los programas de desintoxicación en el Centro Chopra para el Bienestar, los huéspedes reciben tratamientos ayurvédicos diariamente a base de infusiones herbales en aceites para fines de purificación y rejuvenecimiento. Se recomienda realizar el proceso de *panchakarma* periódicamente, a fin de movilizar el *ama* y mantener abiertos los canales de circulación de la energía.

Tal como se describió en el capítulo 4, el *abyhanga* o automasaje se recomienda como parte de la rutina diaria ideal. El procedimiento de *abyhanga* es un hábito valioso que debe adquirirse para fomentar el bienestar. Solamente requiere unos pocos minutos y se traduce en beneficios para todo el día.

Ponga a circular el afecto

El contacto afectuoso contribuye a darnos seguridad. La seguridad reduce la necesidad de automedicarnos con sustancias formuladas o no para reducir la ansiedad. Comprométase conscientemente a acariciar a las personas de su vida con amor y respeto. Pida a sus amigos y familiares un abrazo amoroso. Las sensaciones cálidas y suaves que se generan cuando tocamos a otra persona se traducen en una cascada de placer a partir de la cual se producen unos cambios fisiológicos y bioquímicos benéficos para la salud. Regale afecto con generosidad. Será bueno para usted y para todas las personas con quienes comparta ese contacto amoroso.

Imágenes benéficas

Las imágenes violentas activan la fisiología de la violencia. Las imágenes apacibles engendran la fisiología de la paz. En la Universidad de Harvard se hizo un estudio en el cual los psicólogos observaron la función inmunitaria de un grupo de estudiantes universitarios expuestos a películas con temas de violencia y de compasión. Las imágenes agresivas no tuvieron impacto sobre la función inmunitaria, mientras que las imágenes de la Madre Teresa ayudando a los niños la fortalecieron.[8] Nuestros cerebros primitivos no discriminan fácilmente entre las manifestaciones ficticias de violencia que vemos a través de los medios de comunicación y la amenaza real. Las imágenes y los sonidos agresivos activan la reacción de huir o luchar a través de nuestro sistema nervioso involuntario. La secreción de las hormonas del estrés pone la mente y el cuerpo en modo de supervivencia, aunque la amenaza contra la vida no sea real. Esta activación contribuye a la hipertensión, la ansiedad, la hostilidad, los trastornos digestivos y la vulnerabilidad inmunitaria. En su esfuerzo por calmar la turbulencia física y psicológica, las personas tienden a recurrir al alcohol y a otras drogas que alteran su estado mental. Vale la pena recordar que las imágenes de violencia engendran la fisiología de la violencia.

Las imágenes apacibles tienen el efecto contrario. Caminar por un bosque de árboles centenarios, ver cómo se rompen las olas en la playa, observar a un halcón planear en las corrientes cálidas o apreciar un bello jardín evoca la fisiología del equilibrio y la renovación. Las escenas apacibles de la naturaleza se traducen en una fisiología de relajación, que a su vez genera la química natural del placer y el bienestar.

Opte conscientemente por absorber con regularidad dosis de alimento nutritivo para la vista. Camine por el parque. Alce los ojos al cielo y permita que su mente y su ser se expandan en ese vasto panorama. Vea programas que inspiren, diviertan y le provoquen todavía más entusiasmo por la vida. Véase en los ojos de sus seres amados para conectarse de alma a alma. Utilice el sentido de la vista para despertar y recordar el don precioso de la vida.

Sabores vivificantes

En esta Tierra, la especie humana es la única que ha convertido la nutrición en un asunto complicado. Todos los demás seres vivos poseen la capacidad innata de reconocer las fuentes apropiadas de sustancias orgánicas requeridas para la vida. Los tigres de Bengala no asisten a conferencias donde se debaten los estudios más recientes sobre el equilibrio apropiado entre los ácidos grasos omega 3 y omega

6 para reducir la enfermedad cardiovascular. Las termitas no se suscriben a las revistas que promueven el valor nutricional de una marca determinada de alimentos por encima de otra. Solamente los seres humanos hemos establecido relaciones difíciles con los alimentos.

Desde la perspectiva del ayurveda, la alimentación sana no tiene que ser tan compleja. Lo mismo que las demás especies vivas, nuestros cuerpos saben lo que necesitan para mantener una salud óptima. La nutrición ideal se basa en principios simples que reflejan los aspectos básicos de nuestra fisiología. La experiencia nos ha enseñado que una vez que la persona comprende esos fundamentos simples, deja de luchar con su alimentación.

Detrás de la dimensión de la realidad física a la que tenemos acceso a través de los sentidos, hay un campo de energía e información. Desde ese punto de vista, podemos considerar que nuestros cuerpos son constelaciones de energía e información compuestas de materia y energía derivadas de nuestro medio ambiente. Comer es el proceso de convertir la energía y la información del ambiente en energía e información para el cuerpo. Una manzana es un paquete condensado de energía e información. La digestión es el proceso de transformar la energía y la información contenidas en la manzana en energía e información para nuestro cuerpo. La ingesta balanceada se transforma en una fisiología sana.

Los seis códigos de la alimentación inteligente

Hace más de cinco milenios, a fin de dilucidar el asunto de la nutrición humana, el ayurveda preguntó: "¿Cómo saber lo que debemos comer?". La respuesta que ha sobrevivido a la prueba del tiempo es: "Escucha a tu cuerpo". Los seres humanos podemos discriminar seis sabores diferentes en los alimentos, que representan las fuentes principales de nutrición que nuestros cuerpos requieren. Los seis sabores son:

Dulce • Ácido • Salado • Picante • Amargo • Astringente

DULCE

Los alimentos dulces son aquellos ricos en energía, medida científicamente en términos de calorías. Los alimentos que pertenecen a esta categoría son ricos en carbohidratos, proteínas y grasas. Algunos ejemplos de alimentos dulces son los cereales, la pasta, el pan, las nueces, los lácteos, los aceites, las frutas dulces, los tubérculos, el pescado, el pollo, la carne y el azúcar. Una dieta sana favorece los carbohidratos complejos, las frutas dulces, las fuentes de proteína vegetal y los lácteos bajos en grasa, mientras que reduce los carbohidratos altamente refinados y la carne roja. A fin de satisfacer la necesidad de sabores dulces de una manera sana, prefiera los cereales integrales, las nueces y semillas, las frutas frescas y los lácteos orgánicos bajos en grasa. Reduzca lentamente su consumo de carbohidratos altamente refinados y trate de abandonar gradualmente las carnes rojas en favor del pollo, el pescado y las fuentes de proteína vegetal.

ÁCIDO

Nuestros cuerpos requieren el sabor ácido para realizar muchas funciones vitales, desde la digestión óptima hasta la inflamación para combatir las infecciones. Entre los alimentos que contienen ácidos orgánicos se cuentan los cítricos, las bayas, el tomate, el vinagre, el chutney, las vinagretas, los encurtidos, los condimentos y el alcohol. Es preferible consumir las fuentes naturales de ácido en lugar del ácido derivado de la fermentación.

SALADO

El salado es el sabor del océano. Todos los animales que habitan sobre la tierra tuvieron que interiorizar alguna vez el caldo primordial del océano al crear un sistema circulatorio. En efecto, el contenido salino de la sangre es muy parecido al del océano primordial. Todos debemos reponer diariamente la sal que perdemos a través de la transpiración y la eliminación. En el pasado, las comunidades sin acceso al mar tuvieron que sortear enormes dificultades para aportar cantidades adecuadas de sal a su dieta. Sin embargo, en nuestra sociedad moderna sucede todo lo contrario, puesto que corremos el riesgo de excedernos en el consumo de sal. Entre las fuentes del sabor salado se cuentan la sal de mesa, el pescado, la carne, las algas, la salsa de soya y muchos alimentos procesados y enlatados. Si bien la sal es un ingrediente fundamental de la dieta, la forma de evitar una sobredosis es reducir el consumo de alimentos procesados.

PICANTE

El sabor de los alimentos picantes viene de los aceites esenciales que estimulan la lengua y las membranas mucosas de la boca. Los alimentos picantes estimulan la digestión y son purificadores naturales. La mayoría también son ricos en antioxidantes. Entre los alimentos picantes se cuentan la pimienta, la pimienta de cayena, el jengibre, el ajo, la cebolla, los puerros, el ají, el rábano rojo, el rábano picante, la salsa de tomate picante y los clavos. Muchas hierbas aromáticas como la albahaca, el tomillo, el orégano y el romero tienen un leve o moderado sabor picante. Consumir con regularidad una dosis de alimentos picantes contribuye a una digestión sana y a fortalecer el sistema inmune.

AMARGO

El amargo es el sabor de las verduras, en particular las de hojas verdes. Los alimentos amargos tienen propiedades purificadoras y son ricos en nutrientes necesarios para la función fisiológica normal. Algunos ejemplos de alimentos predominantemente amargos son la espinaca, la acelga, la col, el calabacín, las habichuelas, los espárragos y las coles de Bruselas. Muchas hierbas medicinales también son amargas.

Muchos de los agentes químicos orgánicos presentes en las verduras poseen propiedades antioxidantes y anticancerígenas potentes. Son muchos los estudios que han demostrado los beneficios para la salud de consumir entre cinco y nueve porciones de verduras y frutas todos los días, aunque menos de un 25% de las personas aprovecha las ventajas de esta farmacia de la naturaleza. Como parte de su compromiso de transformar sus hábitos malsanos en hábitos sanos, incluya en su dieta alimentos amargos purificadores.

ASTRINGENTE

Los alimentos astringentes ejercen un efecto sanador en el cuerpo. Su lugar en la nutrición occidental ha venido disminuyendo durante el último siglo en detrimento de nuestra salud. Esta categoría de alimentos ofrece un valor nutricional importante. El sabor astringente está presente principalmente en las leguminosas, los fríjoles, las arvejas y las lentejas. También se encuentra en el té, los arándanos, la granada y la espinaca fresca.

Los alimentos astringentes ofrecen muchos beneficios para la salud. Las leguminosas son una buena fuente de proteína vegetal y de fibra. Los fríjoles contienen químicos naturales que equilibran las hormonas y que han demostrado reducir el riesgo de varios tipos de cáncer.

Luz para el cuerpo

Los alimentos saludables son un medio práctico para llevar luz al cuerpo y desplazar la oscuridad de la toxicidad. En esencia, todos los alimentos son luz solar transformada, pero la dieta occidental típica tiene principalmente matices de blanco y pardo (carnes, lácteos, cereales, patatas). Aportar un espectro amplio de luz al cuerpo sana y purifica.

Haga un esfuerzo consciente por incluir alimentos coloridos en su alimentación. Los tomates rojos, la sandía y la toronja roja contienen licopeno, un químico natural que combate el cáncer. El color naranja de las zanahorias y las mandarinas aporta antioxidantes potentes benéficos para la salud. El banano y los pimientos amarillos brindan dosis benéficas de vitamina A, potasio y fibra. Las verduras de hoja verde son fuentes concentradas de moléculas antioxidantes purificadoras. Los azules y morados de las bayas, las cerezas y las uvas son ricos en sustancias naturales denominadas anticianinas. Son unos de los antioxidantes más potentes, que se han asociado con un menor riesgo de enfermedad cardiovascular y el fortalecimiento de la función inmunitaria. La naturaleza nos brinda una farmacia eficaz en forma de frutas, verduras, fríjoles y cereales. Amplíe su ingesta de nutrientes a través de los sabores y colores de la naturaleza. Su mente y su cuerpo responderán con menos ansias de consumir las cosas que proporcionan alivio momentáneo, pero no satisfacen sus necesidades más profundas.

Alimentos de "luz"

Para incluir en la dieta varias veces al día

Alimentos	Químicos naturales benéficos para la salud	Beneficios
Tomates, toronja roja, sandía, guayaba	Licopeno	Anticancerígenos Antioxidantes
Bayas, cerezas, uvas	Antocianinas	Antioxidantes Fortalecen la inmunidad
Brócoli, uvas, manzanas, cítricos, cerezas, bayas	Flavonoides	Antioxidantes Protegen contra la enfermedad cardiovascular
Nueces de árbol, bayas, manzanas, uvas, ciruelas, albaricoques	Compuestos fenólicos	Antioxidantes Anticancerígenos
Brócoli, coliflor, coles de Bruselas, repollo	Isotiocianatos	Antioxidantes Anticancerígenos
Canela, romero, tomillo, cúrcuma	Terpenoides	Antioxidantes Antibacteriales Fortalecen la digestión

Aromas que nutren

Como seres humanos, quizás no seamos tan conscientes del sentido del olfato como de los demás sentidos, pero eso no significa que sea menos importante. La parte del cerebro encargada de procesar los olores está íntimamente conectada con nuestras emociones, nuestros recuerdos y nuestras reacciones primitivas. La mayoría de los animales se valen del sentido del olfato para tomar sus decisiones más cruciales, como identificar a sus enemigos, las fuentes de alimento y sus parejas. En los seres humanos, el umbral de detección de los estímulos aromáticos es más elevado que el de la visa o el oído, pero aún así registramos y procesamos constantemente la información olfatoria. Si piensa en la última vez que se le quemaron unas galletas en el horno, seguramente cuando reconoció el olor ya era demasiado tarde para salvarlas, pero siempre supo que el olor estaba allí, mucho antes de que lo registrara en la conciencia. El olfato es un sentido poderoso que influye en nosotros principalmente a nivel subliminal.

Los estudios han demostrado que los bebés recién nacidos reconocen y prefieren el olor de la madre por encima del de cualquier otra mujer. La fragancia de la colonia preferida de la pareja puede evocar recuerdos, fantasías y felicidad durante la relación, pero puede también provocar angustia, o repulsión una vez terminada la relación. El aroma de un rollo de canela o de una taza de café puede provocar sensaciones de placer o de angustia dependiendo de si se está en una fase de abstinencia o de gozo con la comida. Si la persona está en la etapa de abstinencia, el olor del cigarrillo puede desencadenar un ansia tremenda, mientras que un año después puede provocarle sólo repulsión. Los agentes de finca raíz hornean pan en las casas que no se venden con la esperanza de que los posibles compradores asocien en su subconsciente el aroma con las fantasías sobre un hogar seguro y cálido para su familia.

Considerando el poder del aroma, podemos recurrir a él para promover la salud y el equilibrio. Las fragancias naturales tienen distintas propiedades intrínsecas, dependiendo de la fuente de las moléculas aromáticas. En general, los aceites esenciales de hierbas, especias, flores y frutos tienen propiedades semejantes a las de las sustancias botánicas de las cuales se derivan. La fragancia de las plantas estimulantes tiende a estimular. El aroma de las plantas calmantes o sedantes tiende a calmar.

La lavanda, el cedro, el ylang-ylang y la bergamota ejercen un efecto relajante sobre la mente y sirven para disminuir la ansiedad y tratar el insomnio. El enebro, la menta y el romero revitalizan y ayudan a aliviar la fatiga física y mental. El jazmín, el sándalo y la rosa producen sosiego, con lo cual pueden aliviar la irritación. Muchos estudios sobre aromaterapia sugieren que los seres vivos responden de manera previsible a la inhalación de aceites esenciales.[9-11]

Además de los efectos fisiológicos directos de la aromaterapia, los aceites esenciales sirven también para evocar una respuesta condicionada deseada. Durante la transición entre una fisiología inmersa en la adicción, asocie las experiencias que le aportan placeres saludables con un aroma placentero. Durante el tratamiento con masajes, pida que utilicen aceite de lavanda a fin de que su cerebro asocie la fragancia con el placer de la relajación. Ponga una infusión de aceite de sándalo en su habitación mientras practica yoga o meditación, para establecer la conexión entre el aroma y la quietud de la mente. Después, utilice esas fragancias en los momentos en que se apodere de usted la ansiedad, a fin de acallar la voz que lo empuja a caer en el viejo comportamiento que desea abolir de una vez por todas.

Decisiones conscientes

El desafío de la adicción no es otro que encontrar sustitutos saludables que satisfagan su necesidad profunda de amor, seguridad, amor propio y significado en la vida. Cuando usted logre comprender que sus experiencias se metabolizan para formar la sustancia de su mente y su cuerpo, podrá comenzar a tomar decisiones conscientes para transformar esas experiencias y, por ende, su vida. Sus experiencias sensoriales son la puerta de entrada a su farmacia interna. Válgase de ellas para despertar la química natural de la salud y la felicidad.

6

El despertar de la energía

Alex, en su afán de cumplir con sus compromisos en la empresa de relaciones públicas donde trabajaba, veía que las exigencias de su trabajo superaban su resistencia física. Aunque prácticamente empapaba su cerebro en cafeína, llegada la noche ya no podía fijar la atención cuando era preciso hacerlo. Uno de sus colegas le sugirió que probara con una de sus tabletas de Adderal, un medicamento formulado a base de cuatro sales anfetamínicas para el tratamiento del trastorno de déficit de atención.

A Alex le agradaba el estado de alerta y concentración que experimentaba con el fármaco, pero no así las sensaciones ocasionales de taquicardia, desasosiego y dolores de cabeza. Lo que más le preocupaba era que, aunque se sentía agotado cuando desaparecían los efectos, no dormía bien en la noche. La falta de sueño hacía que se sintiera lento al día siguiente, y ese letargo lo inducía a consumir más medicamentos. Sabía que estaba atrapado en un círculo vicioso.

Según el modelo biomédico convencional, los seres humanos somos máquinas moleculares. Mientras la ciencia estudia los detalles, los biólogos pronostican que lograremos comprender finalmente la vida a través del estudio de las reacciones químicas en las cuales se basan el metabolismo y la reproducción. Desde esa perspectiva, todo problema con la mente o el cuerpo de una persona se reduce a las moléculas de base. Por consiguiente, la intervención más eficaz consiste en introducir moléculas nuevas desarrolladas en los laboratorios farmacéuticos. La pirosis es producto de una cantidad excesiva de moléculas de ácido clorhídrico, de modo que un inhibidor del ácido debe corregir el problema. El insomnio es consecuencia de una falta de moléculas de ácido gamaaminobutírico (GABA), de modo que lo indicado para inducir el sueño es una dosis de un medicamento activador del GABA. La depresión y la fatiga son producto de la concentración inadecuada de las moléculas de serotonina, de tal manera que para mejorar el estado anímico y la disposición basta con tomar un inhibidor selectivo de la recaptación de la serotonina (ISRS).

La medicina occidental tiene el método más eficaz para aliviar los síntomas de la enfermedad, pero rara vez ataca la causa emocional o los problemas de estilo de vida que mantienen viva la enfermedad. Es poca la atención que se presta al hecho de que los trastornos digestivos, el insomnio o el agotamiento puedan estar relacionados con las decisiones que los pacientes toman o han tomado. Mahatma Gandhi se lamentaba de que el problema con la medicina occidental es la gran eficacia con la cual trata los síntomas de la enfermedad, porque eso hace que las personas no se motiven a buscar la causa de su sufrimiento en las cosas que hacen.

Los sistemas orientales de salud, entre ellos la medicina tradicional china y el ayurveda, reconocen la expresión física de la enfermedad pero buscan que el paciente mismo explore las condiciones que propician la enfermedad. En ese contexto, la enfermedad es vista como un bloqueo o estancamiento de la energía vital. La salud es la expresión del libre fluir de la fuerza vital.

La medicina tradicional da a esta fuerza vital el nombre de *chi*, que fluye a través de los meridianos del cuerpo. En el ayurveda, esta energía vital que circula a través de unos canales denominados *nadis*, recibe el nombre de *prana*. Cuando se bloquea el *prana*, se altera nuestro sentido de integridad y entonces experimentamos ansiedad, depresión, fatiga y dolor. La energía vital purifica y nutre cada uno de los aspectos de la mente y el cuerpo. Cuando no puede circular libremente, perdemos nuestra capacidad natural para mantener el equilibrio y generar bienestar natural. En un esfuerzo por restablecer el equilibrio y reducir el malestar, las personas pueden desarrollar hábitos que les brindan alivio transitorio pero no corrigen las causas subyacentes y, en últimas, engendran un mayor grado de sufrimiento.

El manejo consciente de la energía

Además de la práctica consuetudinaria de la meditación, una dieta saludable y unos estímulos sensoriales benéficos, los pensamientos y los actos también influyen sobre la calidad de la energía que circula en la mente y el cuerpo. Uno de los comportamientos que se pueden adoptar en la vida como parte del esfuerzo por eliminar un hábito nocivo es una práctica diaria destinada a fomentar el equilibrio, la flexibilidad y la conciencia. Esta práctica diaria contribuye a descongestionar los canales de la circulación de la energía, a fortalecer la vitalidad, reducir el estrés y producir las sustancias químicas naturales que inducen placer.

El yoga, el sistema de movimiento consciente proveniente de la antigua India, sigue siendo uno de los métodos más eficaces para promover la flexibilidad y el equilibrio. Aunque en Occidente se le suele considerar un sistema de ejercicios físicos de estiramiento, la intención del yoga es mucho más profunda. La esencia del yoga es una tecnología para acallar la mente y cultivar un estado de reposo consciente centrado en el cuerpo. El propósito del yoga es integrar los aspectos físico, emocional y espiritual de la persona a fin de que la energía vital pueda circular libremente por el cuerpo.

En los escritos clásicos del yoga se trabajan ocho dimensiones diferentes a fin de despertar el recuerdo de la unicidad. En ocasiones, se les denomina las ocho ramas del yoga, cuyos nombres en sánscrito son *yama, niyama, asana, pranayama, pratyahara, dharana, dhyana* y *samadhi.* Cada uno de estos aspectos arroja luces durante el proceso de pasar de un sentido limitado del ser a una conciencia expandida.

Yamas y niyamas para liberar la energía

Los *yamas* representan los códigos de comportamiento que facilitan el libre fluir de la energía. Nos instan a llevar una vida impecable no porque una deidad de barba blanca esté siempre juzgando nuestros actos, sino porque deseamos minimizar los actos que generan fricción innecesaria. La esencia de estas reglas de la vida es tratar a los demás como si fueran un reflejo de nosotros mismos.

Los *niyamas* describen el diálogo interno de las personas dedicadas a manejar su energía vital de una manera impecable. Repasar los remordimientos del pasado o la preocupación por las posibilidades futuras agota la energía vital y nos impide vivir con la conciencia en el presente. Cuando nos mantenemos centrados y enfocados en nuestras decisiones del momento, podemos digerir lo que sucede en el presente y extraerle el mayor valor posible.

Asana

Asana significa asiento o postura. Este aspecto es el que las personas suelen asociar con la palabra "yoga", es decir, a las posturas que mejoran la flexibilidad y la elasticidad del cuerpo. La popularidad del yoga en Occidente es prueba de sus beneficios notables para el bienestar. Desde la perspectiva del yoga, las *asanas* despiertan la vitalidad física y mental porque mejoran el flujo de la energía vital en el cuerpo. Hay cientos de posturas diferentes para despertar los procesos de sanación y transformación en los sistemas fisiológicos, y el beneficio de la práctica de las *asanas* es para toda la vida.

Saludo al sol

El pilar de la práctica de *asanas* es una serie de doce posturas conocida como *surya namaskara* o saludo al sol. Esta secuencia de posturas tonifica y estira los principales grupos musculares y favorece espontáneamente el movimiento de la energía en el cuerpo. También proporciona un masaje suave a los órganos internos. En su proceso de deshacerse de los comportamientos negativos y adoptar otros benéficos para la vida, le recomendamos integrar la serie del saludo al sol en su rutina diaria.

PRIMERA POSTURA: SALUDO

Párese con los pies firmemente apoyados en el piso y junte las manos delante del pecho. Lleve su atención a todo su cuerpo y respire tranquilamente.

SEGUNDA POSTURA: BRAZOS HACIA EL CIELO

Mientras inhala lentamente, estire los brazos con las palmas hacia el cielo. Sienta que estira y alarga los hombros, la espalda y el pecho.

TERCERA POSTURA: MANOS A LOS PIES

Mientras exhala, doble suavemente el tronco hacia adelante y ponga las manos en el piso a ambos lados de los pies. Puede doblar las rodillas si es necesario.

CUARTA POSTURA: POSTURA ECUESTRE

Estire la pierna izquierda atrás y doble la rodilla derecha. Respire tranquilamente en esta postura ecuestre y sienta el estiramiento suave de la nuca y la parte superior de la espalda.

QUINTA POSTURA: LA MONTAÑA

Lleve el pie derecho hacia atrás al lado del izquierdo y adopte la postura de la montaña, elevando las caderas hacia el techo. Lleve el mentón hacia el pecho y sienta el estiramiento de los brazos y las piernas.

SEXTA POSTURA: LOS OCHO APOYOS

Baje el cuerpo para tocar el piso suavemente con la frente, el pecho y las rodillas. Apoye la mayor parte del peso sobre las manos y los dedos de los pies como se hace en preparación para un ejercicio de flexión.

SÉPTIMA POSTURA: LA COBRA

Inhale lentamente para pasar a la postura de la cobra. Durante la extensión, levante el pecho del piso valiéndose principalmente de los músculos de la espalda y el pecho. Tenga cuidado de no empujar demasiado con las manos para evitar un estiramiento excesivo de la espalda.

OCTAVA POSTURA: LA MONTAÑA

La segunda mitad del ciclo es la repetición de atrás para delante de las posturas de la primera mitad. Exhale lentamente, levante las caderas y las nalgas mientras estira los brazos y las piernas.

NOVENA POSTURA: POSTURA ECUESTRE

En la segunda postura ecuestre, mientras inhala, lleve la pierna derecha hacia atrás y doble la rodilla izquierda.

DÉCIMA POSTURA: MANOS A LOS PIES

Exhale lentamente mientras lleva el pie derecho hacia adelante, apoyando las manos a los lados de los pies con el tronco doblado hacia delante.

DÉCIMA PRIMERA POSTURA: BRAZOS HACIA EL CIELO

Inhale, estire la columna y lleve los brazos hacia arriba. Sienta el estiramiento de los brazos, el cuello y la espalda.

DÉCIMA SEGUNDA POSTURA: SALUDO

Para terminar el ciclo, regrese a la postura de saludo con las manos juntas delante del corazón. Respire normalmente y, con los ojos cerrados, observe la sensación de energía que recorre su cuerpo y la facilidad con la cual circula el aire con su respiración.

Cuando la serie de posturas del saludo al sol se realiza lentamente y con conciencia, tiene un efecto meditativo. Puede realizarse más vigorosamente para lograr el estímulo cardiovascular. Comience con unas pocas rondas y aumente gradualmente el número, siempre al ritmo de la respiración. El principio básico es inhalar con cada postura de extensión y exhalar con cada flexión. Permita una transición suave entre una y otra postura a fin de obtener el máximo beneficio. El saludo al sol cultiva la flexibilidad física y mental.

Regular la fuerza vital – *Pranayama*

Pranayama significa regulación de la fuerza vital. En vista de que la respiración está íntimamente ligada con la fuerza vital, *pranayama* se refiere por lo general a los ejercicios de respiración que contribuyen a calmar o revitalizar conscientemente la mente y el cuerpo. Aunque generalmente fluye sin que pensemos en ella, la respiración es uno de los pocos procesos fisiológicos sobre los cuales podemos influir fácilmente a través de la intención consciente. Al llevar la atención a la respiración, podemos cambiar la calidad y la cantidad de la energía vital.

Hay una serie de ejercicios diferentes de respiración que sirven para enfocar la mente y rejuvenecer el cuerpo. Examinaremos tres de los más importantes aquí.

El primer *pranayama* ejerce un efecto tranquilizador y estabilizador sobre la mente y el cuerpo, y sirve para aliviar el insomnio y la ansiedad. El segundo revitaliza y es útil para cambiar rápidamente de estado mental o anímico. El tercero despeja el cuerpo y ayuda a crear un reposo consciente centrado en el cuerpo.

Respiración alternada por las fosas nasales – *nadi shodhana*

Nadi shodhana significa purificar los canales de circulación. Esta práctica se conoce en español con el nombre de respiración alternada por las fosas nasales. *Nadi shodhana* es un ejercicio suave de respiración que calma, tranquiliza y suaviza la fisiología. Cuando las voces mentales son incesantes y no cesan los pensamientos turbulentos sobre lo que ha sucedido o puede suceder, basta con unos pocos minutos de práctica de este ejercicio para centrarse.

La forma más fácil de practicar este ejercicio es tapando alternadamente una fosa nasal al final de cada inhalación. Con el pulgar derecho, tape la fosa nasal derecha después de inhalar lenta y profundamente. Después, exhale lentamente hasta el final a través de la fosa nasal izquierda antes de inhalar por esa misma fosa nuevamente. En el pico de la inspiración, tape la fosa nasal izquierda con el anular y el dedo del corazón, y exhale completamente por la fosa nasal derecha. Al final de la exhalación, inhale por la misma fosa nasal derecha hasta llegar al pico de la inhalación. Entonces repita el ciclo, tapando la fosa nasal derecha para exhalar por la izquierda.

Continúe respirando rítmicamente durante tres a cinco minutos. Cuando sienta que se ha aquietado, cierre los ojos y sencillamente deje que su conciencia se mueva al ritmo de la respiración.

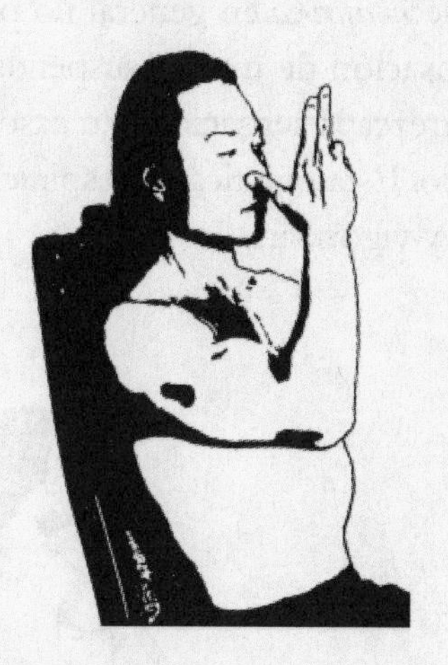

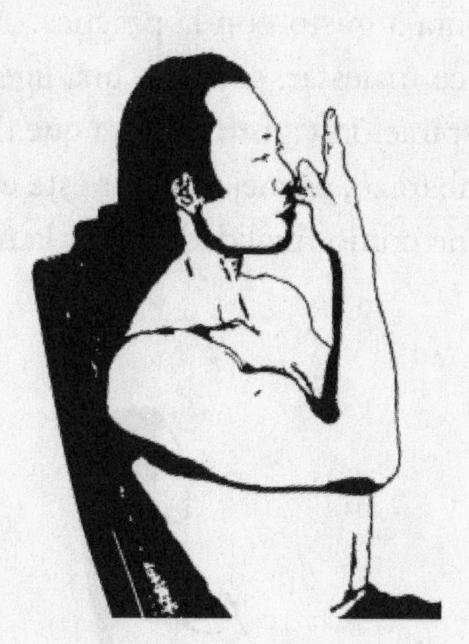

Respiración de fuelle – bhastrika

Bhastrika es una hiperventilación controlada. Respire siempre por la nariz al inhalar y exhalar, usando el diafragma para empujar el aire hacia adentro y hacia fuera de los pulmones. Cuando se sienta presa de la agitación, la irritación o el ansia de algo para cambiar su estado, realice unas cuantas rondas de bhastrika. Los cambios rápidos que se producen en la química sanguínea como consecuencia de esta respiración pueden transformar rápidamente la calidad y el contenido de los pensamientos.

Siéntese cómodamente y respire lenta y profundamente por la nariz. Después de unas pocas respiraciones lentas, comience la práctica del fuelle exhalando e inhalando con fuerza con la ayuda del diafragma. La frecuencia debe ser de una respiración por segundo. Trate de mantener la cabeza y los hombros relajados y estables para que sea al abdomen el que produzca el movimiento de la respiración.

Inhale y exhale rápidamente unas quince veces y después reanude la respiración normal. Espere unos diez segundos y repita un segundo ciclo de diez o quince respiraciones rápidas. Realice unas pocas rondas en un principio y aumente gradualmente hasta diez ciclos cuando se sienta a gusto con la práctica. Aunque *bhastrika* en general no produce malestar, si siente una ligera sensación de mareo, suspenda la respiración vigorosa hasta que desaparezca la sensación. En caso de embarazo, es mejor evitar este ejercicio. Esta práctica de respiración tiene como finalidad aclarar la mente y vigorizar.

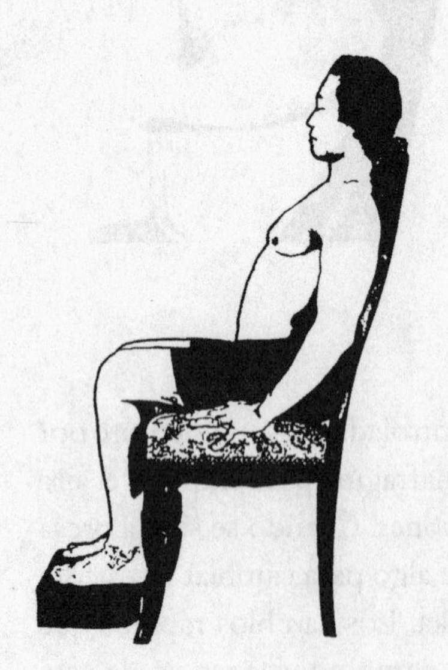

Respiración completa – dirgha

Este ejercicio de respiración equilibra y purifica la mente y el cuerpo. Puede realizarse en una silla o boca arriba en el suelo. Consiste en inhalar por la nariz y llenar los pulmones en forma secuencial desde abajo hacia arriba.

Para comenzar, inhale lentamente y lleve el aire a los espacios inferiores de sus pulmones. El abdomen debe hincharse como si estuviera esperando un bebé. Practique varias veces hasta que aprenda a llevar el aire a la parte inferior de los pulmones.

El segundo paso consiste en dirigir el aire hacia la porción intermedia de los pulmones. Primero lleve el aire a la porción inferior de los pulmones y continúe inhalando para subirlo a los segmentos centrales. Mientras tanto, sienta cómo se expande el tórax.

El paso final comienza llenando lentamente los tercios inferior y medio de los pulmones, para luego llevar el aire hasta los ápices. Imagine que el aire llega hasta las clavículas. Ese proceso hace que el aire llene la totalidad de los pulmones. Practique esta respiración completa varias veces.

Al exhalar, revierta el proceso, vaciando primero el espacio superior, después el medio y finalmente el inferior. Las inhalaciones y exhalaciones suaves facilitan el flujo rítmico de la energía en todo el cuerpo.

Las últimas cuatro ramas del yoga – *pratyahara, dharana, dhyana y samadhi*

Las últimas cuatro ramas del yoga buscan llevar la atención hacia el interior del ser. En el capítulo 4, nos referimos a *pratyahara* en el contexto de la desintoxicación como medio para simplificar la experiencia sensorial a fin de metabolizar completamente lo que se ha ingerido. El hecho de cerrar los ojos y desconectarse transitoriamente del mundo de la forma y los fenómenos ayuda a organizar y aclarar la vida.

Dharana describe el primer principio de la meditación en el cual llevamos la atención del exterior al interior. *Dhyana* (de donde se deriva la palabra "zen") se refiere al proceso de presenciar el ir y venir de los pensamientos sin oponer resistencia ni esperar nada. Ello nos permite elegir nuestras reacciones emocionales en lugar de reaccionar como seres condicionados. Por último, *samadhi* es el estado de unión que experimentamos cuando la mente está en silencio y el cuerpo totalmente relajado. En este estado se realizan todos los deseos. Entrar en contacto con esa experiencia diariamente a través de la meditación renueva y revitaliza el cuerpo, la mente y el alma. Es la realización última de todos los comportamientos adictivos; un estado generado interiormente de paz, felicidad, armonía y amor.

El uso eficiente de la energía en la vida

La energía vital es nuestro bien más preciado. Si la utilizamos sabiamente, les imprime poder a todas nuestras intenciones y garantiza una vida de creatividad y libertad. Nuestra experiencia en el Centro Chopra nos ha permitido llegar al convencimiento de que las personas que están dispuestas a reemplazar los hábitos despilfarradores de energía por otros que la avivan dejan de tomar decisiones lesivas para la vida. Comprométase a incorporar las posturas de yoga, la respiración consciente y la meditación en su vida durante seis semanas, y vea cómo se transforman sus pensamientos, sus sentimientos y su forma de experimentar su ser.

7

La emancipación emocional

SAM ESTABA CANSADO DE SUBIR y bajar por la montaña rusa de sus emociones. No lograba desconectar fácilmente su mente en las noches a causa de las tazas de café que bebía para cargarse durante el día. Había adquirido el hábito de abrir una botella de vino tan pronto llegaba a su casa, y no era raro que la hubiera terminado antes de irse a dormir. No le agradaba el rumbo que estaba tomando y sabía que necesitaba crear más equilibrio en su vida.

Ya que de niño había tenido que ir y venir incontables veces entre los hogares de sus padres divorciados, no era extraño que no recordara fácilmente los momentos en que se había sentido seguro en su cuerpo. En su búsqueda de equilibrio emocional, estaba dispuesto a identificar y digerir su toxicidad emocional acumulada por medio de un método que integrara la mente y el cuerpo.

En ocasiones, mantener los límites de la individualidad puede ser una labor colosal. Nuestras expectativas centrales son sencillas. Deseamos amor y aceptación incondicionales. Deseamos atención, afecto y reconocimiento. Deseamos abundancia sin esfuerzo, relaciones sin fricciones, una conexión profunda con el significado y el propósito del ser y una sensación incuestionable de libertad. Simple.

Tenemos esas intenciones y esos deseos porque en algún nivel sutil de conciencia recordamos el estado del ser en el cual estas experiencias eran una realidad. Quizás era en la infancia, cuando pasábamos los días disfrutando del momento sin preocuparnos por lo que nos depararía el día siguiente. Quizás haya recuerdos vagos de la experiencia intrauterina cuando satisfacíamos instantáneamente todas nuestras necesidades. Quizás todos portemos las semillas del recuerdo de un estado previo a la encarnación en el cual algún aspecto de nuestro ser flotaba libremente más allá del tiempo y el espacio.

Sin importar el origen de estas aspiraciones esenciales de felicidad, la mayoría de las personas no logran alcanzarlas de una manera sostenida. Las madres hacen lo que está a su alcance para satisfacer las necesidades de un bebé aunque, en ocasiones, esa labor les exige más de lo que pueden dar y el bebé experimenta entonces el sufrimiento de la carencia. Poseemos un mecanismo intrínseco para demostrar la insatisfacción cuando el universo no reconoce nuestro papel central en él: el llanto. El llanto, los gritos y las pataletas sirven para atraer la atención de quienes están en capacidad de satisfacer nuestros deseos, pero en algún punto descubrimos que esas expresiones que agotan la energía no siempre funcionan y pueden hasta tener el efecto opuesto de alejar precisamente a las personas a quienes deseamos atraer.

Por el camino, aprendemos que cuando nos comportamos de una manera que agrada a nuestros cuidadores obtenemos la atención y el afecto que buscamos. Logramos extraer aplausos y vivas entusiastas al sonreír, caminar torpemente hacia donde está mamá y repetir palabras nuevas. Desde muy pequeños, comenzamos a perfeccionar el proceso de equilibrar nuestro deseo de autonomía con la dependencia de los demás, a fin de satisfacer nuestras necesidades durante toda la vida.

Descifrar las expectativas

Mucho antes de comprender las reglas, aprendimos que nos premian cuando cumplimos con las expectativas de nuestros padres, cuidadores y maestros, y nos castigan cuando no. La reprimenda puede ser suave si orinamos en los pantalones en lugar de pedir que nos lleven al baño, o dura cuando corremos a la mitad de la calle detrás de una pelota. Aprendemos a luchar con las dificultades de navegar por nuestro camino singular hacia el sosiego interior a base de la retroalimentación a veces sutil, a veces dura.

Considere los mensajes que recibió durante su crecimiento. Si sus padres eran profesores, ingenieros o médicos, seguramente aprobaban toda aptitud que usted demostrara tener para las ciencias, las matemáticas o los logros académicos. Si uno de los padres era artista o músico, toda expresión suya de talento artístico seguramente era recibida con elogios y estímulo. Si en su casa valoraban el rendimiento deportivo, sus logros en los deportes eran muy apreciados.

Si sus talentos innatos estaban en armonía con los valores de sus progenitores, es probable que le haya sido fácil trazar la trayectoria inicial de su vida. Sin embargo, si su naturaleza no estaba en armonía con los valores de su hogar, es probable que haya experimentado discordia mental y física. La meta de todo ser humano es un estado de sosiego interior. Si no podemos alcanzar la dicha plena, negociamos para obtener el mejor reemplazo posible.

Esta danza entre los hijos y los padres rara vez ocurre a nivel consciente. Nuestros padres, por lo general, comunican sus expectativas a través de premios y castigos sutiles. Si en la infancia usted no se sentía a gusto con los términos de aprobación, aceptación y aprecio, contaba con un repertorio limitado de medios para expresar su insatisfacción. Cuando no recibía la aprobación que esperaba, demostraba su malestar con manifestaciones externas o replegándose sobre sí mismo. La expresión externa podía ser en forma de quejas, lamentos, gritos o pataletas. La interiorización podía tomar la forma de mala cara, retraimiento o enfermedad física. Infortunadamente, esas demostraciones primitivas muchas veces no le servían para satisfacer sus necesidades y pudieron haber tenido la consecuencia de alejar a sus cuidadores.

Creamos una personalidad a fin de sobrevivir a este proceso. Afinamos nuestros pensamientos, nuestras palabras, nuestro lenguaje corporal y nuestros actos a fin de maximizar la tranquilidad interior y minimizar el sufrimiento. Identificamos las creencias, preferencias y conductas que pueden proporcionarnos una imagen de nosotros mismos con la cual nos podamos sentir a gusto. Si los símbolos con los cuales tejemos nuestra identidad nos placen durante nuestro crecimiento, desarrollamos una imagen sana de nosotros mismos. Si los rasgos adquiridos a fin de lograr satisfacer nuestras necesidades básicas en la infancia no nos sirven en la edad adulta, el desasosiego se apodera de nosotros.

El alivio de la automedicación

Vemos muchas personas que luchan con comportamientos adictivos desarrollados en respuesta a conflictos aparecidos desde temprana edad entre ellas y sus padres. Los padres pudieron ser distantes o no estar disponibles y la persona desarrolló el hábito para apaciguar su sentimiento de abandono. Los padres pudieron ejercer un control excesivo, y el hábito pudo ser un acto de rebelión o un esfuerzo por aliviar la desesperación por la falta de libertad personal. Si la persona descubría que beber seis cervezas, fumar un cigarrillo de marihuana o tomar anfetaminas aliviaba transitoriamente los conflictos de la vida, repetía el comportamiento hasta comenzar a depender de él.

Infortunadamente, el alivio que ofrecen la mayoría de los comportamientos adictivos disminuye con el tiempo. Sin embargo, la persona persiste en su hábito porque se ha convertido en parte integral de su estructura psicológica y física. Aunque las drogas pueden mitigar transitoriamente el sufrimiento, por lo general, no sirven en lo absoluto para resolver el conflicto de base. Embriagarse no acerca más a una madre ni sirve para que un padre sea menos crítico. Puede anestesiar durante un corto tiempo, pero una vez desaparecido el efecto, el dolor interno reaparece.

SANACIÓN EMOCIONAL

No podemos hacer otra cosa para cambiar el pasado que reinterpretarlo. Sin embargo, podemos liberar el dolor acumulado que sirve de acicate a las decisiones nocivas para la vida. Al igual que el programa de desintoxicación física descrito en el capítulo 4, hemos desarrollado también un proceso de desintoxicación emocional que ayuda a las personas a liberarse de las cargas psicológicas que llevan encima. Los principios sobre los cuales se apoya la sanación emocional auténtica y duradera son semejantes a los que se aplican a la sanación física.

Si una persona tiene una infección bacteriana pero su respuesta inmune no es suficiente para eliminarla, el sistema inmune hace lo posible por sitiarla entre las paredes de un absceso. La infección encerrada hierve dentro de las cápsulas de contención, sin desaparecer ni matar al huésped, pero sí robándole su energía vital. De esa misma forma, encerramos los abscesos emocionales que hierven en nuestro corazón y nos roban la vitalidad. De la misma manera que debemos liberar las toxinas físicas para tener un cuerpo saludable, debemos drenar las toxinas emocionales para sanar el corazón.

CUATRO PASOS DE DESINTOXICACIÓN EMOCIONAL

Para poder eliminar algo que impide el libre fluir de la energía en la mente o el cuerpo, primero es necesario reconocer que ese algo existe y proceder a identificarlo. La forma más directa de identificar la toxicidad emocional consiste en prestar atención al corazón y sentir el cuerpo. Ensaye este ejercicio sencillo.

PRIMER PASO DE LA DESINTOXICACIÓN EMOCIONAL: RECONOZCA SUS EMOCIONES

Respire profundamente, cuente hasta diez, reteniendo la respiración y después exhale lentamente. Cierre los ojos, lleve su atención al corazón y sienta tranquilamente las sensaciones que residen en él. Preste atención a cualquier sensación de constricción, tristeza, ira o frustración. Note si hay ansiedad, dolor, culpabilidad u hostilidad. Permítase sentir las emociones alojadas en su corazón sin oponer resistencia. En lugar de luchar para desterrarlas, entréguese a ellas. Sumérjase en los sentimientos y respire hacia ellos como quien recuerda que no debe retener la respiración durante un procedimiento odontológico. Después de cinco o diez minutos de identificar los sentimientos de su corazón, podrá continuar con el paso siguiente.

SEGUNDO PASO DE LA DESINTOXICACIÓN EMOCIONAL: MOVILICE LA TOXICIDAD EMOCIONAL

El dolor emocional puede residir enterrado en las profundidades de la mente y el corazón, pero aún así socavar la energía vital. La energía psicológica invertida en suprimir y reprimir el sufrimiento emocional predispone a la depresión. El mecanismo para liberar el dolor almacenado consiste en lograr acceso a los sentimientos y recuerdos atrapados y movilizarlos hacia la conciencia. Esta, en efecto, es la base de la asesoría profesional y, por lo general es conveniente, aunque no esencial, buscar establecer una relación con un terapeuta familiarizado con la dinámica de la adicción y los problemas emocionales de base que contribuyen a los sentimientos de desazón y a los comportamientos encaminados a adormecerlos.

En el Centro Chopra, hemos descubierto que llevar un diario es una forma útil de movilizar las emociones tóxicas. Hay también varios estudios científicos que sustentan la utilidad del diario para la salud mental y física. El hecho de darse permiso para reconocer y expresar por escrito las experiencias dolorosas guardadas bajo llave en el interior tiene un efecto liberador.

Comience por hacer una lista de las personas de su vida con quienes asocia el dolor y la desilusión. Comience con las relaciones más recientes y remóntese hacia atrás. La lista podría ser algo así:

Mi pareja reciente que tuvo un amorío.

Ex esposo(a) que me ofendió.

Compañero de dormitorio en la universidad que conquistó a mi novia.

El profesor de atletismo del colegio que me ofendía.

Hermanos mayores que eran malos conmigo.

Un progenitor emocionalmente ausente en mi vida.

Cuando tenga su lista de personas, comience a trabajar con las experiencias. Si tuvo una larga relación con alguien, tendrá muchos recuerdos de situaciones en las que no pudo satisfacer sus necesidades y sufrió emocionalmente. Tómese el tiempo para narrar cada episodio que le venga a la memoria. Si se compromete genuinamente con este proceso, verá que los recuerdos aflorarán a la conciencia cuando menos lo espera. Podrá soñar con situaciones desterradas de la conciencia tiempo atrás. Podrá recordar súbitamente algo en lo que no había pensado en años mientras ve un programa de televisión o una película. En efecto, sabrá que este método de liberar las emociones tóxicas funciona cuando lo "asalten" sus recuerdos. Es como si la mente subconsciente reconociera y disfrutara la oportunidad de liberar el sufrimiento emocional.

Al procesar la información emocional a la cual ha tenido acceso, considere la experiencia memorable desde la perspectiva de lo que sucedió y lo que sintió. Al reproducir las experiencias dolorosas del pasado, liberará la energía emocional. Los sentimientos de tristeza, desilusión, desesperación, ira, soledad y miedo son el reflejo de la movilización de las emociones tóxicas. No les oponga resistencia a esos sentimientos fuertes, aunque le produzcan desazón. Sumérjase en esas sensaciones sin resistirse o anticiparse. Permita que los sentimientos invadan su ser con la certeza de que esa movilización es la manifestación del proceso de sanación.

TERCER PASO DE LA DESINTOXICACIÓN EMOCIONAL: LIBERE LA TOXICIDAD EMOCIONAL

Los rituales tienen efectos físicos y emocionales poderosos. Captan nuestra atención y marcan hitos en la vida. Los bautizos, las fiestas de cumpleaños, las primeras comuniones, las confirmaciones, los grados, las bodas, las vacaciones y los funerales sirven como declaraciones sobre el comienzo o el final de los distintos capítulos del libro de la vida. Si cree que ha llegado el momento para cerrar el capítulo de su historia que mantiene vivos los comportamientos nocivos, es conveniente pensar en un ritual de liberación emocional, que puede tener un efecto poderoso y liberador.

Después de agitar el dolor emocional con el registro de la historia de las relaciones y experiencias que dieron lugar al sufrimiento, el ejercicio de liberación tiene por objeto sacar los sentimientos tóxicos del cuerpo. Comience por releer lo escrito en el diario y resaltar los problemas que han contribuido a anclar su sufrimiento emocional. Al leer lo escrito, identifique el meollo del dolor con una palabra o una frase corta. Por ejemplo, si tiene recuerdos de la ausencia materna durante períodos prolongados de tiempo que le hubieran hecho sentir que no era digno de amor, escriba *no merecedor de amor*. Si su padre alcohólico proyectaba frecuentemente en usted los sentimientos de odio hacia sí mismo, escriba *agresividad paterna*. En las tradiciones filosóficas de Oriente, este principio se conoce como la práctica de los *sutras*. El *sutra* es una "puntada" que mantiene unidas las ideas. Las palabras "sutura" y "ligadura" se derivan de *sutra*. Durante este proceso, trate de identificar los *sutras* que mantienen unido su sufrimiento, las palabras que describen los sentimientos y creencias que todavía le producen sufrimiento emocional. Así se vería una lista parcial:

Mensajes duros de mi madre.
Agresión y críticas de mi padre.
Mis amigos adolescentes me repetían que era "gordo".
Objeto sexual a los ojos de mi esposo–incapacidad para establecer límites sanos.
Falta de voluntad en relaciones subsiguientes.
Traición de un socio inescrupuloso.
Violencia emocional constante de parte de mi actual cónyuge.

Cada una de estas frases cortas representa patrones de experiencia que han dado lugar al sufrimiento. La frase es la sutura que mantiene unida la sarta de pensamientos dolorosos. El valor de este proceso está en poner todas las sartas de dolor emocional en una sola caja antes de desecharlas. Aunque a veces parecería como si la carga de la toxicidad emocional fuera interminable, este paso tiene por objeto poner la mente en los problemas a fin de liberarse de las limitaciones que estos imponen.

CUARTO PASO DE LA DESINTOXICACIÓN EMOCIONAL: SU PEREGRINACIÓN HACIA LA LIBERTAD

Cuando tenga su lista de *sutras*, haga un viaje a un lugar donde pueda liberar su sentimiento lejos del resto del mundo. Podría ser un lugar privado a la orilla de un lago o del mar, o en una saliente de la montaña, donde no tenga que preocuparse de que alguien pueda perturbarlo o interferir con su propósito. Si no tiene esa posibilidad, elija un momento en el que pueda estar solo en su casa. Una vez esté en el lugar, recoja piedras que le sirvan como medio de liberación. Reúna una piedra por cada *sutra*. (Si no tiene acceso a un espacio abierto, busque algo que reemplace las piedras y que pueda lanzar sin provocar daños. Las bolsas de fríjoles, los globos llenos de agua o las pelotas de tenis sirven en diversos entornos).

El poder del ritual de liberación reflejará su atención y su intención. Traiga el primer *sutra* a su conciencia y lleve una piedra hacia su corazón. Cierre los ojos y, valiéndose del *sutra* como portal, recuerde todas las experiencias dolorosas asociadas con él. Visualice cómo transfiere su dolor emocional a la piedra que sostiene contra su corazón. Permita que sus sentimientos afloren a la superficie sin ninguna resistencia. Cuando sienta que la piedra está totalmente "cargada", láncela al océano o al lago o al abismo con un grito y con todo su vigor. Grite, lance alaridos o maldiciones al expulsar para siempre de su cuerpo y de su vida esas emociones dolorosas.

Repita el proceso con cada *sutra*. Tómese su tiempo y no apresure la experiencia. Permita que la mente subconsciente lleve a la conciencia la información portadora de la carga emocional de la cual desea liberarse. Durante el proceso, sentirá que afloran unos sentimientos fuertes. Es probable que sienta tristeza, pesadumbre, ira o remordimiento. No importa lo que aflore, permita que fluya a través de su ser sin juzgar. Si realiza este ejercicio desde una postura de inocencia y apertura, sentirá que ha liberado espacio en su corazón y su alma. Aunque puede sentir agotamiento físico inmediatamente después del ejercicio, al poco tiempo comenzará a sentir alivio y vitalidad.

Reposición

Según el modelo ayurvédico de purificación física, una vez eliminadas las toxinas, el cuerpo está listo para recibir nutrición. Las sustancias y experiencias que nutren el cuerpo a nivel fundamental se denominan *rasayanas*. Un *rasayana* mejora la calidad de los tejidos y favorece la integración entre las células, los órganos y los sistemas fisiológicos. Hay un puñado de plantas medicinales clasificadas como *rasayanas,* porque al parecer ejercen un efecto positivo en muchos niveles del cuerpo.

Asimismo, podemos recurrir a los *rasayanas* emocionales. Al liberar el corazón de los rencores, resentimientos y remordimientos, podemos llenar el corazón, la mente y el alma con emociones saludables, como la comprensión, el perdón, la compasión y el amor. Es útil, en la mayoría de las situaciones, suponer que las personas que han herido a otras no lo hicieron intencionalmente sino que, en su esfuerzo por satisfacer sus propias necesidades, y como resultado de sus limitados recursos emocionales, atropellaron las necesidades de otros. Comprender cómo llegó alguien a ser como es puede ayudar a aliviar el sufrimiento y a perdonar.

Piense en las personas con quienes asocia el dolor emocional y componga una biografía de sus vidas, comenzando desde la primera infancia. Reflexione sobre la crianza que recibieron, con base en lo que sepa sobre sus padres o cuidadores. Recuerde o imagine los mensajes que recibieron de quienes las criaron con relación a las relaciones, la comunicación y el amor. Si no posee mayor conocimiento directo sobre esos primeros años, invente una historia que tenga lógica para usted. Considere las experiencias que vivieron en la infancia y la adolescencia, a partir de las cuales se forjaron sus personalidades. Reconozca la forma como esos patrones se manifestaron en relaciones anteriores y cómo afectaron las interacciones con usted. A medida que va comprendiendo los sucesos formativos de la vida de esas personas podrá tomarse menos a pecho los comportamientos que tuvieron para con usted. Al ver con mayor claridad ese condicionamiento, podrá reemplazar por compasión la ira que ha llevado alojada en el corazón.

Es importante el principio de recordar que todo el mundo se esfuerza por hacer lo mejor posible en todo momento, aunque a veces lo mejor de nosotros pueda causar dolor a los demás o a nosotros mismos. De la misma manera que usted desearía ser perdonado por las decisiones que pudieron haber lastimado a otros en el pasado, trate de hallar la comprensión necesaria para liberar su corazón del resentimiento y la amargura.

Aunque crea que su animosidad u hostilidad hiere a los demás, recuerde que el daño para su propio corazón es mayor. El mejor remedio para un corazón roto es seguir adelante con la vida y optar por la felicidad. Optar por reemplazar las emociones tóxicas por otras saludables es un paso gigante hacia la libertad emocional y la evolución espiritual.

Madurar con respecto a los padres

No somos responsables por las fallas humanas de nuestros padres. Sin embargo, cargamos el peso emocional de su incapacidad para ayudarnos a crear una imagen sana de nosotros mismos dentro de unos límites apropiados. Nada podemos hacer con respecto al pasado, pero sí podemos hacer algo ahora mismo para sanar. En su caso, seguramente tiene suficientes experiencias para saber cómo habría deseado que hubiera sido su crianza si esta hubiera dependido de usted. El hecho de conocer cuáles deben ser las características de unos padres sanos significa que tiene acceso a esas cualidades en su propia conciencia.

Considere los mensajes que habría querido recibir mientras crecía. No es nada del otro mundo. Los niños florecen cuando reciben constantemente mensajes tácitos y manifiestos de ser amados, adorables y valiosos. Los padres conscientes les refuerzan continuamente a sus hijos cuán bellos, inteligentes, capaces, preciosos y poderosos son. El amor incondicional es la única experiencia justificable para unos niños inocentes.

En sus momentos de silencio, entre dentro de su corazón e imagine a sus padres amorosos expresando su aprobación y aprecio. Considere la propuesta de que no hay razón alguna por la cual usted no pueda tener el amor incondicional de sus padres. Usted llegó a este mundo como un ser inocente y franco, con la expectativa de merecer que se satisfagan sus necesidades fundamentales. El hecho de que sus progenitores no hayan estado calificados para satisfacer sus necesidades no es culpa ni responsabilidad de usted. Por tanto, en aras de su sanación y transformación personal, no se lo tome a pecho.

Pensamos que es muy conveniente hacer caso de las palabras elocuentes de Hafiz, el poeta sufi:

Quizás durante apenas un minuto en el día
convenga torturarse pensando cosas como,
"Debería hacer mucho más con mi vida de lo que hago ahora,
porque tengo un gran talento".
Pero que sea solamente un minuto en el día.
De vernos como lo hace Dios.
Porque Él conoce nuestra naturaleza real.
Dios nunca se confunde y solamente se ve
a Sí mismo en nosotros.[1]

Reacondicionamiento

Nuestra vida emocional es producto de conversaciones interiorizadas. Si su diálogo interno no le ha generado sensaciones de paz y felicidad, es hora de cambiar la cinta. Usted es parte activa en la creación de su propia vida y pese a todo lo que se haya dicho hasta ahora, usted tiene el poder y la creatividad para escribir un nuevo capítulo. Trate de visualizar el estado de libertad emocional al cual tiene derecho y armonice sus decisiones con la visión que merece manifestar.

Conclusión

La salida de la prisión

Puesto que conocemos el impacto que la adicción tiene sobre la vida de las personas, quisiéramos poder tener una varita mágica para cambiar sin esfuerzo los hábitos nocivos por hábitos saludables. Sin embargo, para bien o para mal, la puerta hacia el cambio se abre desde adentro. Rumi, el poeta sufi, no pudo haberlo dicho mejor:

He vivido al borde de la locura, golpeando la puerta con el ansia de conocer las razones.
Esta se abre.
¡He estado golpeando desde adentro!

Quizás la pregunta más importante al contemplar la posibilidad de abandonar un hábito sea: "¿Qué gano con eso?". Aunque quizás tenga el condicionamiento de creer que evadir el castigo es una motivación suficiente, no estamos de acuerdo. Aunque evitar el cáncer pulmonar, la cirrosis hepática o una infección por VIH son objetivos muy deseables, no escribimos este libro sencillamente para ayudar a evitar el sufrimiento. Comprendemos su anhelo profundo de liberarse de la prisión estrecha de una existencia sin amor. Nos identificamos con sus ansias de libertad y éxtasis. Reconocemos su sed de amor incondicional, aceptación y significado. Es porque sabemos que no es posible satisfacer esas necesidades universales con una droga o por medio de un hábito que extendemos esta invitación para elegir un camino diferente.

El único alivio eficaz para el sufrimiento existencial de la vida es la dicha de conectarnos con el espíritu. Esta paz interior que desafía el entendimiento no es espectacular ni dramática. Es tranquila, sosegada y alentadora. Cada uno de nosotros recorre su propio camino en la búsqueda de la paz y el éxtasis, bien sea que nos consideremos adictos o no. Deseamos tranquilidad, pero no hasta el punto del aburrimiento. Deseamos emociones, pero no hasta el punto de perdernos en la turbulencia. Deseamos equilibrio, pero también poder explorar toda la gama de experiencias humanas. Nos agrada el principio de ser moderados en todo, incluso en la moderación.

Repaso de los fundamentos

Nuestros pensamientos forjan lo que somos. A fin de manifestar un cambio real, debemos traducir nuestros pensamientos en acciones. Recuerde los puntos siguientes a fin de ayudarse en su recorrido:

1. Comience por perdonarse cuando decida comprometerse con su sanación.
2. Inicie la práctica diaria de meditar en silencio.

3. Cuando tome decisiones, piense en términos de toxicidad y beneficio y minimice conscientemente las experiencias que contribuyan a contaminar su cuerpo, su mente o su alma.
4. Asegúrese de recibir una diversidad de experiencias sensoriales benéficas diariamente. Además de una alimentación sana, preste atención a la ingesta de sonidos, sensaciones, imágenes y aromas saludables.
5. Libere de su corazón la carga emocional asociada con las necesidades insatisfechas de su pasado. Aprenda a comunicar sus necesidades conscientemente a fin de adquirir confianza acerca de la posibilidad de que su futuro se desenvuelva de manera diferente de su pasado.
6. Cuide su cuerpo físico mediante rutinas diarias para mejorar la flexibilidad, el equilibrio y la resistencia. Establezca una relación íntima con su respiración.
7. Embárquese en un viaje ininterrumpido de descubrimiento personal. Destine tiempo para acallar la mente y formúlese preguntas que sirvan para arrojar luz sobre su vida.
8. Visualice su vida como un viaje de expansión de la conciencia. Alégrese de pasar su punto interno de referencia del ego al espíritu.

Usted no es una cosa

A lo largo de estas páginas, lo hemos instado a que no se considere una entidad separada y aislada, sino como una serie de relaciones entretejidas en la red del universo. Su sentido de individualidad es producto de las creencias y moléculas que ha hecho suyas. A fin de modificar su idea sobre su ser, es preciso abandonar ciertas creencias y acoger otras. Una de las creencias que conviene abandonar es que puede manejar su adicción sin ayuda. No es señal de debilidad pedir ayuda cuando se necesita. Para nosotros es una forma de reconocer nuestra interdependencia y nuestra interrelación esencial. También puede ser una expresión de autenticidad. Al final de este libro, hacemos nuestras recomendaciones para la búsqueda de la ayuda profesional que le servirá para adentrarse por el camino de la unicidad.

La sana modulación

Para que la vida transcurra con conciencia y en equilibrio, es preciso que haya una comunicación clara entre el cuerpo, la mente y el alma. A veces parecería que la vida es estridente y necesitamos bajar el volumen. En ocasiones, parecería que estamos estancados y necesitamos una dosis de entusiasmo Las personas sanas reconocen con claridad los límites aceptables de las fluctuaciones anímicas y energéticas y ajustan su comportamiento para permanecer dentro de esos límites sanos. Las drogas o los comportamientos adictivos que suprimen o estimulan pueden ofrecer una modulación transitoria pero no contribuyen a un equilibrio auténtico o duradero. Es posible aprender las destrezas necesarias para sentirse a gusto y vivir la vida sin la manipulación química. No obstante, eso es algo que requiere práctica. Comience por reemplazar algo tóxico por algo benéfico y observe el efecto de ese primer cambio. La simplificación es un buen catalizador de la sanación. Observe lo que puede liberar a fin de crear el espacio necesario para que su alma pueda trabajar en la transformación evolutiva.

Le hemos ofrecido las herramientas que consideramos aliadas poderosas en la búsqueda universal de la libertad. Le rogamos que comience a utilizarlas para construir una vida plena de amor, vitalidad y significado. Independientemente de lo que le hayan dicho hasta ahora, tenga la certeza de que se merece la paz y la felicidad.

Apéndice A

Un vistazo al panorama

La seducción de las sustancias que alteran el estado mental ha vivido entre nosotros desde tiempo atrás y hay evidencias convincentes de que también los animales buscan los frutos fermentados y las plantas psicoactivas. Los elefantes africanos recorren grandes distancias para beber el vino natural del árbol de la marula, mientras que se ha visto a los jaguares de la Amazonía beber el rocío que se desprende de los bejucos de la ayahuasca. Hay incontables informes sobre chimpancés que se intoxican y pierden el control tras asaltar las plantas de cerveza de banano en Uganda.

Entre los seres humanos, el desarrollo de la agricultura y el advenimiento de la alfarería llevaron a la producción constante de bebidas fermentadas de plantas que contienen azúcares. Se han descubierto jarras de hace 7000 años con residuos químicos de vinos primitivos en asentamientos del Neolítico en el norte de Irán. Los moradores de Egipto, Mesopotamia y Babilonia tenían vinerías y cervecerías florecientes hace más de cinco mil años. Hay evidencia de que en esas épocas remotas se promulgaron las primeras leyes para controlar el uso de sustancias intoxicantes cuando había personas con dificultades para moderar su consumo.

El consumo de sustancias psicoactivas ha existido en el mundo entero desde los albores de la humanidad. Desde la marihuana en China hace más de 4000 años, hasta la hoja de coca entre los incas en el siglo XIII, las culturas han autorizado el uso de agentes botánicos para alterar la conciencia.

En la mayoría de las tradiciones, estos agentes se consumían en el contexto de ceremonias medicinales o espirituales. El hecho de contextualizar las sustancias psicoactivas por medio de rituales era la forma de autorizar a la gente a alterar su estado de conciencia. Las alucinaciones producidas por los hongos que consumían los videntes de la antigua India se convirtieron en las visiones plasmadas en los himnos de los vedas. El uso del cactus peyote como sacramento religioso entre los miembros de la iglesia de los nativos americanos tiene sus raíces en los ritos tribales del México precolombino. El vino se ha utilizado desde épocas antiguas como vehículo para conectarse con la divinidad. En la antigua Grecia, se invocaba a Dionisio, dios del éxtasis y los excesos, con ocasión de la libación del vino. En las principales festividades religiosas de los judíos, se bebe vino como símbolo de alegría y abundancia. Y en la eucaristía, el vino es la forma como la humanidad comparte con la divinidad.

Con el surgimiento de la civilización occidental, se condenó y finalmente se deslegitimó el uso religioso de las plantas psicoactivas. Por fuera del contexto cultural y espiritual, es mayor la propensión a abusar de las drogas que alteran la conciencia. A falta de la guía de los sabios y ancianos, los usuarios novatos no saben manejar e integrar los potentes cambios neurofisiológicos provocados por las drogas.

La tecnología nos ha permitido extraer y concentrar los ingredientes activos de las plantas psicoactivas, con lo cual es mayor la facilidad para utilizarlas y abusar de ellas. Un campesino que mastica la hoja de coca en las montañas peruanas para aumentar su resistencia rara vez sufre los efectos nocivos para la salud, a diferencia del ejecutivo estadounidense que inhala polvo de cocaína para poder trabajar hasta altas horas de la noche. Un indio navajo que fuma el tabaco sagrado en una pipa de la paz no habría podido imaginar que algún día millones de personas inhalarían 200 y más dosis de nicotina al día a través de unos tubos de papel perfectamente armados. En nuestro empeño por identificar y concentrar los ingredientes activos de la naturaleza, hemos extraído la inteligencia pero dejado atrás la sabiduría.

La modulación desde afuera

Las drogas cumplen un propósito. Cuando una persona busca cambiar su estado emocional pero desconoce la forma de hacerlo desde su interior, tiene que recurrir al exterior. Las sustancias químicas psicoactivas alteran el estado de ánimo o la emoción, pero sólo transitoriamente. Cuando el fármaco desaparece, el descontento, el malestar o la desesperación a veces son más intensos que antes. Entonces la persona debe optar por buscar un cambio más perdurable o contentarse con otra dosis de alivio de corta duración.

El alcohol y las drogas consumen una cantidad ingente de recursos. Si se utilizan con prudencia, pueden agregarle un sabor único a la vida, pero cuando se abusa de ellos, pueden engendrar la desgracia para los individuos, las familias y las comunidades. Es prácticamente un hecho que las estadísticas subestiman el número de personas cuyas vidas se ven afectadas por los agentes químicos capaces de producir consecuencias nocivas. Aquí presentamos una reseña breve de las drogas consumidas más comúnmente en Occidente y de sus consecuencias conocidas y posibles. No pretende ser una lista exhaustiva, sino una visión general sobre la cultura de las drogas.

El tabaco

Las estadísticas indican que cerca del 30% de los pobladores de los Estados Unidos fuman cigarrillo, lo cual representa más de 70 millones de estadounidenses adictos a la nicotina. Entre ellos se cuentan más de 3.5 millones de fumadores jóvenes entre los doce y los diecisiete años. El tabaco es el causante de casi 450 000 muertes anuales relacionadas con el corazón y los pulmones, y cerca de $100 mil millones de dólares en costos médicos directos. Aunque la legislación y las demandas recientes han tenido un impacto económico considerable, la industria del tabaco continúa siendo un poder económico de gran peso en la economía global. El valor comercial combinado de los dos productores más grandes, Phillip Morris y RJ Reynolds, asciende a más de $160 mil millones de dólares.

El tabaco es una fuente de ingresos significativos para los gobiernos a través de los impuestos estatales y federales al consumo. El impuesto al consumo de cigarrillos oscila entre los 5 centavos de dólar por paquete en Carolina del Norte y $2.46 por paquete en Rhode Island, con un promedio cercano a los 85 centavos en todos los estados. El impuesto federal al consumo está actualmente en 39 centavos por paquete. Aunque los fumadores pueden protestar por el impuesto de $1.25 aproximadamente, los Centros para el Control y la Prevención de las Enfermedades calculan que los costos de salud asociados con el tabaquismo ascienden a más de $7 dólares por paquete.

El cultivo del tabaco cobra un precio al medio ambiente. El curado de las hojas de tabaco se traduce en la deforestación de más de 500 000 acres en el año. Anualmente se utilizan más de 25 millones de libras de plaguicidas en los cultivos de tabaco de los Estados Unidos, lo cual representa riesgos para la salud de los trabajadores agrícolas y de las comunidades vecinas. A pesar de los efectos tóxicos para las personas y el medio ambiente, el gobierno federal otorgó más de $500 millones en subsidios a los productores tabacaleros durante los últimos cinco años.

¿A qué se debe el consumo de tabaco?

El tabaquismo suple necesidades. La experiencia original del cigarrillo por lo general es una declaración de independencia de la autoridad de los padres. Sirve como ritual de unión con otros fumadores y como refugio de las presiones de la vida. Fumar cigarrillo o cigarro también satisface unas necesidades orales. Y después de un período corto de inducción, la nicotina llega a los sitios de placer del cerebro al simular la acción de la acetilcolina. Sin embargo, mientras más fuma la persona, menos sensible se torna el cerebro a los neuroquímicos naturales, lo cual crea en el fumador la dependencia de la dosis regular de la nicotina contenida en el tabaco.

El alcohol

Se calcula que, en Estados Unidos, 15 millones de personas tienen problemas con el alcohol, y más de uno de cada trece adultos son alcohólicos. Además de tener efectos serios para la salud, las relaciones y el trabajo, cerca de 20 000 muertes anuales se le atribuyen directamente a la embriaguez, sin incluir los accidentes y los homicidios. En general, un 20% de los accidentes automovilísticos fatales se asocian con el alcohol, mientras que la cifra aumenta a un 50% cuando el conductor está entre los 21 y los 41 años de edad.

En Estados Unidos se gastan anualmente en productos alcohólicos cerca de $110 mil millones, mientras que se calcula que los costos médicos anuales asociados con la bebida superan los $185 mil millones. Puesto que el alcohol afecta prácticamente todos los sistemas del cuerpo, las consecuencias médicas del consumo excesivo de alcohol son generalizadas. El sistema digestivo es especialmente vulnerable y lo más común es encontrar inflamación del estómago, el hígado y el páncreas. En cerca de un 18% de los bebedores consuetudinarios se observa alguna evidencia de cirrosis alcohólica. El consumo crónico de alcohol es tóxico para el sistema nervioso y afecta la memoria, el raciocinio y los nervios periféricos. Los sistemas hormonal, hematológico y reproductivo también pagan un precio en los casos de consumo excesivo de alcohol.

Aunque el consumo moderado de vino (hasta seis copas por semana) puede ejercer un efecto protector sobre el corazón debido a la presencia de los antioxidantes naturales de las uvas, el consumo excesivo de alcohol es tóxico para el músculo cardíaco.

¿Por qué beben las personas?

En dosis bajas, el alcohol seda, relaja y desinhibe, lo cual lo convierte en un lubricante social. Tiene un efecto de corta duración contra la ansiedad, aunque predispone a los bebedores a la depresión.

El alcohol actúa sobre el cerebro por su interacción con una sustancia neuroquímica inhibitoria denominada GABA, cuyo efecto es sedar las células nerviosas. Una vez metabolizado el alcohol, aumenta la excitación cerebral, con lo cual sobrevienen la ansiedad y el insomnio.

Los estimulantes

En los Estados Unidos, en vista de la inclinación cultural por la actividad constante, no sorprende que más de 3.5 millones de personas utilicen la cocaína y más de medio millón utilicen las anfetaminas con regularidad. Un estudio del Departamento de Salud y Servicios Humanos determinó que más de 12 millones de personas aceptaron haber utilizado la metanfentamina por lo menos una vez en la vida. Por su efecto de simular la acción de la adrenalina, los estimulantes aumentan la presión sanguínea y cardíaca. Se asocian comúnmente con accidentes cerebrovasculares en personas jóvenes y con convulsiones epilépticas.

La metanfetamina es relativamente fácil de producir a partir de la efedrina y la pseudoefedrina, descongestionantes de venta libre, lo cual se ha traducido en una proliferación de laboratorios clandestinos. La Agencia de Control de Estupefacientes de los Estados Unidos (DEA) calcula en más de 7700 el número de estos laboratorios pequeños. Además de los efectos nocivos para el sistema nervioso central, las anfetaminas tienen efectos tóxicos para el medio ambiente. En su preparación, se utilizan varias sustancias químicas comunes pero poderosas, entre ellas limpiadores de cañerías, tolueno, éter, litio y fósforo rojo. Los laboratorios por lo general descargan los desechos a los sistemas de alcantarillado, los ríos y las quebradas. El costo de descontaminar un solo laboratorio productor de metanfetamina oscila entre los $5000 y los $100 000 dólares.

La cocaína induce rápidamente a una euforia intensa, lo cual la hace la droga de elección para quienes desean reforzar rápidamente su sensación de seguridad y su autoestima. El efecto por inhalación es menos lento y dura cerca de media hora, mientras que fumada en forma de crack proporciona un efecto más rápido e intenso que dura entre cinco y diez minutos. Infortunadamente, el efecto desaparece con la misma rapidez con la que llega, dejando al usuario vacío y con ansias de una nueva sensación de energía.

Los estadounidenses invierten grandes cantidades de dinero en ese breve refuerzo de energía. La cifra se calcula en $35 mil millones al año y el precio del gramo de cocaína en las calles ha aumentado recientemente a $170 dólares aproximadamente. Hay quienes consideran que esta es una señal alentadora que refleja los esfuerzos del Gobierno colombiano por reducir la producción de la hoja de coca gracias al paquete de $3 mil millones de dólares de ayuda de los Estados Unidos. Los estudios más recientes sugieren que ha bajado el número de estudiantes de secundaria que experimentan con la cocaína en comparación con cinco años atrás, lo cual haría pensar que el pico de consumo ya ha pasado.

¿A qué se debe el consumo de estimulantes?

Las anfetaminas y la cocaína aumentan los niveles de noradrenalina, dopamina y serotonina en el cerebro, lo cual hace que la persona se sienta llena de energía, poderosa y eufórica. Esa sensación de seguridad y confianza hace que un consumidor tímido o inseguro por naturaleza entable interacciones y conversaciones fácilmente.

Cuando el efecto de la droga se desvanece, los niveles de estos neuroquímicos cruciales se agotan y sobrevienen la fatiga y la depresión. El contraste provoca angustia y lleva al consumo repetitivo del estimulante.

Los opiáceos

La evidencia arqueológica parece indicar que los hombres de Neanderthal ya cosechaban la amapola hace más de 30 000 años. Hace cinco mil años, los sumerios cultivaban la amapola (*Papaver somniferum)* por su jugo blanco que aliviaba los dolores y provocaba euforia. La denominaban *hul gil*, o planta de la alegría.

Durante centurias, el opio ocupó un lugar central en los sistemas médicos de Egipto, Grecia, Arabia, India y China. Era la fórmula preferida de Simón Januensis, el médico del Papa Nicolás IV en el siglo XIII. A mediados de siglo XVI, el alquimista suizo Paracelso desarrolló un alcohol derivado del opio al cual dio el nombre de láudano, que significa "digno de alabanza".

El farmaceuta alemán Wilhelm Sertürner fue el primero en aislar la morfina a partir del opio a principios de los años 1800. Le dio su nombre por Morfeo, el dios de los sueños. A finales del siglo XIX, la compañía farmacéutica alemana Bayer comenzó a comercializar un derivado de la morfina químicamente modificado, más potente y no adictivo. Los médicos distribuían deliberadamente las muestras gratuitas de este fármaco cuyo nombre se deriva del alemán *heroisch* o héroe. La droga era la heroína.

Pasaron veinte años antes de que se reconocieran las propiedades altamente adictivas de la morfina y la heroína. Fue entonces cuando se promulgó en los Estados Unidos la ley Harrison sobre Narcóticos en 1914, que exigía que los médicos y farmaceutas llevaran registros de los opiáceos formulados a los pacientes. Puesto que la adicción no era considerada una enfermedad, los médicos que formulaban narcóticos a los adictos a fin de mantener su adicción eran detenidos y encarcelados por violar la ley.

Fue apenas hasta la década de 1970 que se supo que estas drogas se unen a los receptores del cerebro encargados de responder a las endorfinas, los opiáceos endógenos. Las sustancias químicas presentes en la farmacia botánica de la naturaleza se asemejan a nuestra farmacia interna. Los problemas se presentan cuando los narcóticos se consumen hasta el punto en que inactivan nuestra farmacia interna. Es entonces cuando se presentan los síntomas de abstinencia por la falta de sustancias externas o internas para calmar el dolor.

Se calcula que entre un 1% y un 2% de la población estadounidense es adicto a algún tipo de narcótico. El abuso de los medicamentos formulados es un problema creciente, con la oxicodona (OxyContin) y la hidrocodona (Vicodin) a la cabeza. Las consecuencias físicas, emocionales, económicas y legales del abuso y la adicción a los opiáceos son inmensas: desde el sida hasta los delitos violentos, pasando por las sobredosis, son grandes los efectos del ansia de los seres humanos por escapar del sufrimiento.

¿A qué se debe el consumo de opiáceos?

Thomas Sydenham, el médico del siglo XVII a quien también se le ha llamado el Hipócrates inglés, dijo: "Entre los remedios que Dios Todopoderoso en su bondad ha dado al hombre para aliviar el sufrimiento, no hay ninguno más universal y eficaz que el opio". Los opiáceos activan directamente los receptores del placer del cerebro sin necesidad de ensayar todos los métodos usuales para lograr el bienestar. Mientras la persona está bajo la influencia de un narcótico, se siente tranquila, segura y protegida contra el sufrimiento y las tensiones del mundo.

Una vez metabolizados los opiáceos, el cuerpo queda desprovisto de las sustancias extrínsecas o intrínsecas para aliviar el dolor. Algunos de los síntomas de abstinencia de los opiáceos son los calambres, la sudoración, la diarrea, la ausencia de sueño y la agitación.

Los sedantes

Ante las ansiedades de la vida, los afectados y los científicos han buscado desde tiempo atrás distintas soluciones para calmar la agitación mental. Cuando se sintetizaron inicialmente los primeros barbitúricos a comienzos del siglo XX, se formulaban como sedantes, ayudas para dormir y medicamentos contra la epilepsia. No pasó mucho tiempo antes de que se reconocieran su importante potencial adictivo y los síntomas de abstinencia, como los temblores, la ansiedad y las convulsiones. Entonces se procedió a la búsqueda de otras alternativas. A principios de la década de 1960, se pensó que se había descubierto la solución mágica para la ansiedad, cuando la compañía farmacéutica Hoffman-La Roche descubrió el Librium y el Valium. A mediados de la siguiente década, el número de prescripciones de Valium ascendía casi a 60 millones, en particular entre las mujeres angustiadas de clase media. Los Rolling Stones lo hicieron famoso con su canción *Mother's Little Helper* (*La pequeña ayuda de mamá*).

Infortunadamente, la dependencia física y psicológica del Valium se manifestó mucho más rápidamente de lo que se pensó originalmente, dejando a millones de personas con síntomas de abstinencia cada vez que se les agotaba la fórmula. A pesar de esto, siguió siendo el medicamento más ampliamente formulado en el mundo hasta principios de la década de 1980.

El Valium y sus parientes cercanos son miembros de la familia de los sedantes benzodiazepínicos, que activan los neuroquímicos inhibidores del cerebro. Estos medicamentos, formulados generosamente por los médicos para tratar el nerviosismo y el insomnio, han reemplazado a los barbitúricos, cuyos efectos adictivos y secundarios son mayores. Entre los demás miembros de la familia de las benzodiazepinas están el lorazepam (Ativan), el alprazolam (Xanax), el clonazepam (Klonopin) y el temazepam (Restoril).

La dependencia de los benzodiazepínicos se asocia con somnolencia, problemas de memoria y lentitud de los reflejos motores. Es común ver casos de insomnio y ansiedad como efecto de rebote cuando se suspende su uso. La adicción al alcohol y la dependencia de las benzodiazepinas tienen muchas características semejantes.

¿A qué se debe el consumo de sedantes?

Las personas tienden a utilizar sedantes por las mismas razones que buscan el alcohol, aunque el uso social de sedantes no es una actividad sancionada por la comunidad. Por lo general, se formulan para aliviar la ansiedad en el corto plazo, pero la dependencia suele ser común porque los niveles de ansiedad aumentan cuando se suspenden.

La marihuana

Aunque el número de personas que ingresan a los programas de tratamiento a causa de la marihuana es pequeño, es frecuente la dependencia psicológica. Es el estupefaciente utilizado con mayor frecuencia en los Estados Unidos y se calcula, según un estudio publicado en el 2002, que más de 14 millones de personas fuman marihuana por lo menos una vez al mes.

El ingrediente activo de la marihuana, el delta 9-tetrahidrocanabinol (THC), se identificó desde 1964, pero fue apenas a mediados de la década de 1990 que se identificaron los receptores cerebrales de los canabinoides. Ahora se sabe que el cerebro produce sustancias químicas naturales semejantes al THC y que estas ejercen un efecto sobre el ánimo, el dolor, la actividad inmune, la función digestiva, el apetito y la inflamación.

Los defensores de la marihuana la promueven como un agente relativamente seguro que produce una leve euforia y puede tener propiedades médicas útiles. Sus detractores señalan que el humo de la marihuana contiene más sustancias carcinogénicas que el del tabaco; se le ha asociado con problemas pulmonares crónicos, y el uso a largo plazo puede inducir cambios indeseables de la personalidad, incluido el síndrome caracterizado por la pérdida de motivación para alcanzar la realización personal. Los usuarios también pueden experimentar resequedad de la boca, desorientación, elevación de la frecuencia cardíaca, ansiedad y paranoia. Un estudio reciente de Nueva Zelanda reveló que la probabilidad de tener accidentes automovilísticos era diez veces mayor entre los usuarios habituales de canabis en comparación con el resto de la población.

¿A qué se debe el uso de la marihuana?

La marihuana induce un cambio rápido de perspectiva caracterizado por indiferencia frente a las preocupaciones pasadas o futuras, e intensifica la percepción sensorial. Las experiencias conocidas parecen completamente nuevas. El efecto de relajación, alivio del sufrimiento y desinhibición por lo general dura entre una y cuatro horas después de fumarla. Cuando se interrumpe su uso, puede haber ansiedad y depresión, y un efecto duradero de pérdida de memoria y dificultad para aprender.

El uso médico de la marihuana continúa siendo tema de debates candentes. Los estudios científicos han demostrado su utilidad en el tratamiento de la espasticidad en la esclerosis múltiple y para mitigar ciertos tipos de dolores neurales crónicos. También se ha sugerido que aumenta el apetito en los pacientes sometidos a quimioterapia para cáncer. La ambivalencia de la sociedad frente a las drogas de esparcimiento con posible valor terapéutico se refleja en el hecho de que la marihuana de uso médico es legal en California pero ilegal en el resto de los Estados Unidos.

Los alucinógenos

Las sustancias naturales que alteran las facultades mentales se conocen desde hace miles de años. Está bien documentado el uso del cactus peyote, los hongos psilocybine y la ayahuasca en los ritos ceremoniales de los nativos de la América precolombina. La sopa de letras de los alucinógenos sintetizados –LSD, DMT, MDA– tiene efectos neurofisiológicos complejos por su acción primordial sobre las vías de la serotonina. Bajo la influencia de estos químicos psicoactivos, los usuarios tienen un cambio de percepción del tiempo, el espacio y el ser.

Para algunos, la experiencia es liberadora, pero para otros es aterradora. Las consecuencias después de un viaje de alucinaciones intensas pueden ir desde un cambio filosófico de actitud frente a la vida hasta un ataque psicótico.

Aunque el éxtasis (MDMA: 3-4 metilendioximetanfetamina) es semejante a la mescalina y a la anfetamina en su estructura química, por lo general no produce distorsiones sensoriales ni alucinaciones en dosis normales. Induce una sensación de euforia asociada con empatía e intensificación sensorial. Las dosis altas o frecuentes pueden producir efectos semejantes a los de la anfetamina, como tensión de los músculos mandibulares y apretar de dientes. La Universidad de Chicago realizó un estudio citado frecuentemente según el cual se observó degeneración de las fibras nerviosas de la serotonina en ciertas zonas del cerebro de ratas sometidas a dosis altas de MDMA administradas por vía endovenosa.

¿A qué se debe el consumo de alucinógenos?

Las sustancias alucinógenas crean unos cambios profundos de percepción que pueden interpretarse como realidades alternas. Entre las experiencias positivas descritas por los usuarios de drogas psicodélicas están la sensación de alegría, revelaciones sobre las creencias más importantes, aumento de la empatía y la armonía emocional con los demás, y una sensación de comunión plena con lo sagrado. Sin embargo, puesto que la reacción frente a esos potentes agentes químicos es imprevisible, los usuarios también pueden experimentar pánico intenso, depresión y debilitamiento de la sensación del ser durante o después de la experiencia.

La seducción de las drogas

No sorprende que los seres humanos consuman drogas como ayuda para enfrentar la vida. Las sustancias que alivian el sufrimiento, reducen la ansiedad, elevan la energía, fortalecen la confianza, facilitan la intimidad y permiten vislumbrar la divinidad podrían seducir a cualquiera en algún momento de la vida.

Sin embargo, hay dos problemas graves con las drogas. El primero es el precio que se paga por la experiencia, puesto que la mayoría de las sustancias que influyen sobre el afecto simulan la acción de los mensajeros químicos naturales del cerebro. Obediente a la ley de conservación de la energía, el cerebro, cuando recibe una sustancia externa semejante a la que él fabrica, reduce su producción. Cuando desaparece la droga, el cerebro se ve privado de su fuente externa e interna, lo cual se traduce en unos síntomas por lo general contrarios al efecto de la droga. Si una sustancia aumenta la energía, la persona probablemente se sentirá agotada cuando desaparezca el efecto. Si la droga ejerce un efecto sedante, la persona probablemente sentirá ansiedad y agitación cuando la droga se elimine del cuerpo. La deuda por lo general es igual o mayor al efecto deseado.

El segundo problema de utilizar drogas para modular el afecto es que el estado interior comienza a depender de algo externo. Aunque la droga o el comportamiento tenga efectos secundarios mínimos, la dependencia de un agente externo para encontrar la paz interior crea un estado de vulnerabilidad. La consecuencia es que la persona consume más recursos emocionales y psicológicos para asegurarse el suministro constante de la sustancia y se llena de ansiedad cuando la fuente externa no está disponible.

Libérese de las adicciones tiene el propósito de demostrar que el camino para satisfacer las necesidades más profundas de paz, armonía, éxtasis, significado y amor es la exploración interior y la expansión de la conciencia. Si usted logra generar estas experiencias internamente, experimentará la libertad de reconocer en usted una expresión de lo sagrado. De esa forma, no tendrá que pagar el precio elevado que las drogas le cobran a su cuerpo, su mente y su alma.

Apéndice B

Una breve historia de la adicción

Jorge Santayana, filósofo y escritor español dijo: "Quienes olvidan el pasado están condenados a repetirlo". Esta breve historia de la adicción se ha forjado a través de miles de años de experiencias. Esperamos que sea esclarecedora para usted.

Podemos reconocer el drama arquetípico de la adicción en las leyendas milenarias sobre Dionisio. El dios griego del éxtasis, el placer y el exceso siempre ha provocado ambivalencia. Adorado por los juerguistas y despreciado por quienes predican la mesura, Dionisio es la antítesis de Apolo, símbolo de la sobriedad y la moderación. Hijo ilegítimo del rey Zeus, Dionisio era blanco frecuente del menosprecio de la reina Hera. Poco después de aprender el arte de cultivar los viñedos, el bello Dionisio cayó en la locura por voluntad de Hera. Después de años de vagar delirante alrededor de la Tierra, finalmente Cybele, quien compartió sus rituales sagrados de sanación con él, le devolvió la salud.

Dionisio nos recuerda que la desinhibición provocada por la ebriedad nos atrae pero al mismo tiempo nos infunde temor. El deseo de sucumbir a los malos hábitos o de utilizar sustancias para escapar de lo mundano choca con la posible destrucción que puede sobrevenir. Durante toda la historia de la humanidad, las sociedades han luchado por manejar estos impulsos contradictorios.

Si nos remontamos a la Antigüedad, oímos las advertencias sobre los riesgos de caer en excesos. En la *Odisea*, Homero se refiere a Elpenor, el compañero de Ulises, quien estando ebrio se desnuca al caer de un tejado. En sus proverbios, el rey Salomón nos dice que "quienes se dejen seducir por el vino… verán cosas extrañas… y pronunciarán sonidos extraños. Quien bebe piensa: *Me atacaron pero no estoy lastimado. Me golpearon pero no sentí. ¿Cuándo despertaré para poder beber nuevamente?"*. Platón fomentaba la abstinencia entre los jóvenes, pero también fomentaba la bebida entre los ancianos (los mayores de cuarenta) como medio para recapturar la juventud. Platón promovía la sobriedad entre quienes deseaban procrear, basado en la idea de que el alcohol dañaba el tejido reproductivo.

El vino y la cerveza eran las bebidas más consumidas en la Edad Media, puesto que las fuentes de agua solían estar contaminadas. Conocido como *aqua vita,* agua de vida, el alcohol constituía una fuente confiable de calorías y líquido. Con la difusión del cristianismo en Europa, la Iglesia se mostró ambivalente ante el consumo de alcohol. Aunque consideraba que la desinhibición por el consumo excesivo era un rezago de la influencia pagana, el vino era un elemento prácticamente universal dentro de la vida religiosa. Muchos monasterios se hicieron famosos por sus prolíficos viñedos, cuando el vino se convirtió en el símbolo de la sangre de Cristo.

Alcohol, drogas y civilización

Aunque hubo advertencias ocasionales acerca de las posibles consecuencias dañinas de beber sin mesura, fue sólo hacia finales del siglo XVIII que los médicos y políticos de Europa y el Nuevo Mundo pusieron su atención en los efectos sociales y de salud del alcohol. Tomás Trotter, médico inglés, sugirió que la bebida era señal de debilidad de carácter, mientras que Benjamín Rush, médico norteamericano, declaró que el uso habitual del alcohol era una enfermedad grave que requería tratamiento.

Rush sugirió que, en algunos casos, el alcohol era una forma de suicidio gradual, mientras que en otros era una especie de automedicación para aliviar las tribulaciones agobiantes de la vida. Consciente de la dificultad para tratar esta enfermedad, Rush promovió el establecimiento de unos Centros de Sobriedad dedicados concretamente al cuidado de las personas adictas al alcohol.

Del otro lado del mundo, el opio se convertía en la forma de adicción predilecta tanto para los individuos como para las naciones. Hacia 1750, la British East India Company había asumido el control total sobre la producción de opio en la India y durante un lapso de veinte años, despachó más de 2000 cajas de opio al año a la China. En 1799, el emperador Kia King impuso la prohibición total del opio, penalizando el cultivo y el comercio de la amapola.

Pero esto no fue óbice para que los comerciantes británicos entraran el opio de contrabando en Canton a fin de abastecer a cerca de 2 millones de chinos adictos. En respuesta a los intentos de la China por desmantelar la operación de importación del opio, el Gobierno británico movilizó sus fuerzas navales, impuso un bloqueo sobre Canton e invadió las costas de China. Entre 1839 y 1860, Inglaterra y China libraron una serie de batallas, que recibieron el nombre de las Guerras del Opio. La superioridad militar del imperio Británico finalmente obligó a la firma de un acuerdo de comercio, una de cuyas cláusulas fue la legalización del opio.

A finales del siglo XIX, China se convirtió en el principal productor de opio del mundo. A comienzos del nuevo siglo, había cerca de 13.5 millones de adictos al opio en China y más de 300 000 en los Estados Unidos. En 1907, Estados Unidos importaba cerca de 300 toneladas de opio al año y el consumo promedio aumentó más de cuatro veces, desde 12 granos por persona en los años 1840, hasta más de 50 granos en 1900.

En los albores del siglo XIX, hubo un movimiento social cada vez más fuerte a favor de estudiar las consecuencias económicas, sociales, psicológicas y médicas de las drogas y el alcohol. Se reconoció que si bien la adicción era un problema de los individuos, las familias y las comunidades comparten el sufrimiento y, que sin la ayuda y el apoyo de la sociedad, la mayoría de las personas eran incapaces de romper esos hábitos destructivos.

Primeros tratamientos contra la adicción en los Estados Unidos

El problema público de la intoxicación adquirió visibilidad creciente a partir de los últimos años del siglo XVIII y hasta principios del siglo XIX. Los esfuerzos iniciales para enfrentar el problema giraron alrededor de la moderación, con lo cual nacieron varias organizaciones que buscaban moderar el consumo, apoyadas en la idea de que los bebedores empedernidos podían lograr cierto grado de control sobre su consumo de alcohol sin necesidad de abstenerse. Se creía que los riesgos sociales y de salud más graves se relacionaban con el alcohol de destilería, mientras que los efectos nocivos de la cerveza y el vino eran menos graves. Se hicieron esfuerzos por lograr que los bebedores de whisky, ginebra y ron reemplazaran esas bebidas por vino, cerveza y cidra. No pasó mucho tiempo antes de que se reconociera que ese método rara vez servía de algo. Fue así como a mediados del siglo XIX se llegó a la conclusión de que la estrategia de todo o nada, es decir, la abstinencia total, era el único medio eficaz para controlar el problema de la intoxicación por alcohol.

Con el reconocimiento de que la sobriedad sin el apoyo social era un camino tortuoso, surgieron diversos esfuerzos ligados con el concepto de comunidad. Uno de los primeros y más influyentes fue el de la Sociedad de Abstinencia Total de Washington. Fundada en 1840 por seis amigos de la botella en una taberna de Baltimore, Maryland, la Sociedad de Washington exigía un juramento de abstinencia total a sus miembros y el pago mensual de una cuota de 12.5 centavos. Animada por las historias emotivas de vidas destruidas por el alcohol y de los casos de resurrección logrados a través de la vinculación a la organización, la Sociedad estableció sucursales en varias ciudades del país.

La Sociedad, animada por unos líderes carismáticos, llegó a afirmar que contaba con 600 000 miembros en su mejor momento. Es importante señalar que los miembros de la Sociedad rechazaban cualquier forma de participación de la religión organizada en el proceso de recuperación, porque creían que la camaradería y el sentido de comunidad eran los catalizadores de la transformación requerida para superar la adicción. A pesar del entusiasmo generado originalmente, el movimiento de Washington era insostenible. No habían transcurrido diez años cuando todos sus sucursales se habían disuelto. Aunque duró poco tiempo, sirvió de modelo para otras organizaciones de recuperación apoyadas en el concepto de la comunidad.

Los primeros centros de tratamiento residencial también nacieron durante la última parte del siglo XIX. Los asilos y casas de desintoxicación surgieron como reacción al tratamiento inadecuado del alcoholismo y la adicción a las drogas ofrecido en los asilos psiquiátricos, donde era común la práctica de formular alcohol y narcóticos como medio para controlar el comportamiento de los internos. Surgieron diversos modelos de tratamiento, entre ellos los centros privados de retiro, los hogares de superación de orientación religiosa y las instituciones patrocinadas por el Estado.

Durante el siglo XIX, salieron a flote una serie de aspectos significativos del tratamiento de la adicción. Había dos corrientes teóricas principales que pretendían explicar la adicción: quienes creían que la adicción era producto de una deficiencia de carácter o de voluntad moral, y quienes creían que era una enfermedad. En los tiempos modernos, vemos la misma controversia plasmada en la pregunta de si la adicción es un problema moral/espiritual o un problema químico/biológico. Otra pregunta relacionada era si la tendencia a la adicción era heredada o adquirida. Todavía es tema de debate, como lo era en esa época, el peso relativo de los factores congénitos y los factores ambientales.

¿Era apropiado imponer la rehabilitación a una persona adicta? Ahora, como entonces, esta pregunta tiene ramificaciones respecto del papel del sistema jurídico en el tratamiento de la adicción. Quienes veían la adicción como un vicio o un pecado defendían la intervención legal, mientras que quienes la consideraban una enfermedad no veían la lógica de penalizar un comportamiento adictivo.

Otro tema de debate candente hace un siglo era el relativo a las personas más calificadas para trabajar en el campo de la adicción. Había quienes defendían a ultranza la participación de una fuerza laboral de personas en recuperación, mientras que otros creían que solamente los profesionales calificados podían guiar a los adictos hacia la sobriedad.

¿Era posible curarse de la compulsión de dejarse llevar por un comportamiento adictivo, o esta era una enfermedad que requería manejo de por vida? Aunque la mayoría de las personas coincidían en que cualquier recaída momentánea podía revivir el patrón previo de abandono, logró abrirse paso el concepto de reducción del daño. Estos distintos puntos de vista se sometieron a prueba en diversos modelos y situaciones durante todo el siglo XIX y el siglo XX.

Modalidades de tratamiento para la adicción en el siglo XX

El siglo XX dio nacimiento a una gran cantidad de modalidades concebidas para controlar o tratar el comportamiento adictivo. Quienes veían el alcoholismo como una debilidad de carácter o de la voluntad diseñaron escenarios para reorganizar el mundo interior del individuo. La premisa fundamental de esos enfoques era que al retirar a la persona del ambiente propicio para el comportamiento indeseable y ubicarla en un ambiente conducente a unos hábitos favorables, la persona podría abandonar los esquemas viejos y adoptar otros nuevos. También se promovía la separación de los alcohólicos de la sociedad como medida de protección para la comunidad.

Ni el sistema médico ni el sistema jurídico de los Estados Unidos a principios del siglo XX estaban preparados para manejar el número creciente de personas detenidas por intoxicación en lugares públicos. Los alcohólicos muchas veces entraban por una puerta y salían por otra entre las estaciones de policía y las unidades de desintoxicación de los hospitales. Cuando se hizo evidente que este enfoque no producía resultados sostenibles, entraron en escena los hospitales psiquiátricos locales y estatales. No eran extraños los casos de permanencia prolongada de más de un año, a la vez por obligación con las autoridades.

A medida que se iban llenando las instituciones de personas con problemas de adicción, se ensayaban también diversos métodos físicos, psicológicos y farmacológicos. Algunas de las intervenciones más comunes eran las terapias nutricionales, las clases de ejercicios, los programas de trabajo y la hidroterapia. Se utilizaron la morfina, el hidrato de cloral y la atropina para tratar la adicción al alcohol. También se usó la cocaína para tratar la adicción a la morfina. También se utilizaron las terapias de electrochoques y las lobotomías, introducidas como parte del tratamiento de las enfermedades psiquiátricas, en los casos recalcitrantes de adicción, pero con malos resultados en general.

El psicoanálisis como tratamiento para la adicción ganó adeptos durante la primera mitad del siglo XX. La siguiente es una cita muy conocida, atribuida al psiquiatra Karl Menninger, fundador de la clínica Menninger: "La adicción al alcohol puede verse no como una enfermedad sino como un intento suicida por huir de la enfermedad, un intento desastroso por curarse de un conflicto interior invisible". El psicoanálisis dirigió sus esfuerzos a ayudar a los pacientes a comprender y resolver sus conflictos internos frente a la identidad sexual y a los errores de los padres como origen del ansia de beber. En lugar de suspender la bebida, la meta del tratamiento psicoanalítico era resolver los conflictos causantes de la neurosis. El psicoanálisis demostró ser más eficaz en la teoría que en la práctica. Aunque puede haber algo de verdad en la afirmación de que el alcohol es un sustituto simbólico de la leche materna que sirve para apaciguar el sufrimiento causado por los conflictos sin resolver de la infancia, el enfoque psicoanalítico puro no demostró eficacia constante como tratamiento para el alcoholismo o la adicción a las drogas.

Se implantaron otros métodos psicológicos para tratar la adicción. A través de la asesoría para las familias, se reconoció la influencia de la crianza sobre la adicción y el papel de la adicción sobre la dinámica familiar. A través de las sesiones de hipnoterapia, se buscaba reemplazar la motivación psicológica profunda para consumir drogas o alcohol por sugestiones subconscientes a favor de la vida. Las terapias de grupo donde se alentaba a los adictos a compartir sus historias personales y se ofrecía apoyo a los miembros del grupo se convirtieron en componentes normales de la mayoría de los programas de rehabilitación. Se aplicaron enfoques conductuales, incluidas terapias de aversión en las cuales el hábito indeseable se asociaba con sustancias que provocaban náusea, revulsión o dolor, en un esfuerzo por condicionar a la persona a asociar la bebida con malestar y así erradicar el hábito.

Los proponentes de estos enfoques afirmaron en un principio tener éxitos sorprendentes, pero con el tiempo fue menguando el entusiasmo original. Sin embargo, todo el campo de la rehabilitación registró un cambio radical cuando las fuerzas políticas, impotentes por la lentitud y la imperfección de los programas existentes, impusieron medidas legales al mundo de la adicción.

El alcohol, las drogas y la ley

Aunque la evidencia de los efectos dañinos del alcoholismo era más obvia que la del abuso de narcóticos, el primer acto legislativo importante para regular los estupefacientes en los Estados Unidos fue la Ley Harrison sobre narcóticos promulgada en 1914. Aunque inicialmente exigía el registro de los narcóticos, las autoridades no tardaron en valerse de ella para frenar cualquier intento de los médicos por tratar a los adictos con narcóticos. El resultado fue que decenas de miles de personas se vieron obligadas a esconder su hábito, con lo cual comenzaron a alimentar una red internacional de narcotráfico. Aunque pocos años después se promulgó una legislación para fortalecer el control, había poca evidencia sobre el éxito de la penalización. En 1936, August Vollmer, director de la policía de Berkeley, California, expresó su frustración con esta táctica cuando dijo: "Las leyes estrictas, las persecuciones espectaculares de la policía, el procesamiento decidido y la encarcelación de los adictos y los traficantes han demostrado no solamente ser medidas inútiles y enormemente costosas para corregir este mal, sino que también son injustificables e increíblemente crueles en su aplicación a las infortunadas víctimas de la droga. La represión ha enterrado este vicio en la clandestinidad y ha producido traficantes y proveedores que se han enriquecido con este mal y se han encargado de estimular el tráfico de las drogas con sus métodos corruptos".

La ineficacia de la penalización no impidió la promulgación de la Décima Octava Enmienda a la Constitución de los Estados Unidos en enero de 1920, que prohibió la producción, la venta y el transporte de licores.

Apoyados en los grupos defensores de la moderación nacidos un siglo atrás, los prohibicionistas movilizaron una campaña masiva para liberar a los estadounidenses de "la gran anaconda que enrolla sus anillos alrededor de los altares de los hogares para destruirlos y abrirle espacio a Baco". La presión política por extinguir el alcohol llevó a estas sustancias a la clandestinidad, justo cuando Estados Unidos comenzaba a revivir económicamente después del final de la Primera Guerra Mundial.

No terminaban de clausurarse las cantinas cuando ya los bares clandestinos brotaban por todas partes. A mediados de los "ruidosos años veinte", había cerca de 100 000 clubes ilegales del alcohol sólo en la ciudad de Nueva York. Esta economía subterránea enriqueció a las familias del crimen organizado en toda las ciudades del país y, al mismo tiempo, alimentó la corrupción a muchos niveles del sistema político.

Después de trece años de prohibición, se vio claramente que el "experimento noble" había sido un fracaso. La Prohibición no pudo cumplir su promesa de eliminar el comportamiento indeseable y, en realidad, tuvo el efecto contrario. Después de un descenso inicial del consumo per cápita, este aumentó durante la década de 1920. Las conductas criminales proliferaron y el número de personas encarceladas creció considerablemente a pesar del aumento del gasto en medidas de control. En 1932 subió a la presidencia Franklin Delano Roosevelt, apoyado en gran medida en la plataforma contra la Prohibición. Un año después se aprobó la Vigésima Primera Enmienda para anular, por única vez en la historia de los Estados Unidos, una enmienda constitucional ratificada.

La era moderna

Los decenios que siguieron a la anulación de la Prohibición vieron el nacimiento de dos movimientos importantes en el manejo del alcoholismo y la drogadicción. Uno de ellos fue el de los Alcohólicos Anónimos (AA). El otro fue el modelo médico para el tratamiento de la adicción.

Hill Wilson y el doctor Bob Smith fundaron oficialmente los Alcohólicos Anónimos en 1935. Los dos eran veteranos de un sinnúmero de programas de recuperación. Tras tener una experiencia espiritual en la que literalmente "vio la luz", Hill se convenció de que la Divina Presencia era un componente esencial de la recuperación. Poco tiempo después de su revelación, Hill conoció al doctor Bob, cirujano que había llegado al punto de esperar hasta estar sobrio para poder operar. Juntos se comprometieron a abandonar el alcohol y comenzar a reclutar a otros alcohólicos para formar una comunidad de personas comprometidas con la abstinencia. Durante los años que siguieron, consignaron los principios de los AA en el que llegó a conocerse como el "Gran Libro". Con la publicación de los doce pasos y los testimonios contundentes de las personas que los habían seguido hasta su recuperación, el movimiento creció exponencialmente. A mediados de la década de 1950, contaba ya con más de 200 000 miembros en setenta países.

Los Alcohólicos Anónimos brindaron una fórmula para el éxito que otras organizaciones de autoayuda y de ayuda mutua no habían podido identificar anteriormente. El movimiento mantenía una cultura igualitaria para acoger a todo el mundo, independientemente de su clase social o de su historia. El hecho de asignar padrinos a los miembros nuevos era una forma de personalizar la relación entre la organización y los recién llegados.

El otro suceso crucial durante este período posterior a la Prohibición fue la redefinición del alcoholismo, que dejó de considerarse una debilidad de carácter y pasó a ser una enfermedad merecedora de tratamiento. Al dejar de ser un problema moral para convertirse en un problema médico, los adictos pasaron a ser enfermos y, por tanto, dignos de compasión en lugar de desprecio. Una vez que el alcoholismo y la adicción se convirtieron en problemas de salud pública, se emprendieron nuevos esfuerzos para tratar de comprender sus causas y efectos. A partir de mediados del siglo XX, se desarrollaron modelos terapéuticos multidisciplinarios dirigidos a los componentes físicos, emocionales, sociales y espirituales del alcoholismo.

En su empeño por desarrollar y ampliar el uso de los medicamentos psicoactivos, la industria farmacéutica vio la oportunidad de aplicarlos en el tratamiento de la adicción. Se utilizaron diversas clases de sedantes y tranquilizantes para tratar a los adictos durante la fase aguda de abstinencia y como mantenimiento. Aunque los principales tranquilizantes como la clorpromazina (Torazina) y los sedantes como el meprobamato (Ecuanial) servían para destetar a las personas del alcohol, tenían sus propios efectos secundarios y también la posibilidad de crear dependencia. A pesar de la tendencia de las benzodiazepinas (Valium, Librium) a crear hábito, los médicos las formulaban casi a todo el mundo en las unidades de desintoxicación.

Cuando la psiquiatría acogió el modelo médico, se dio mayor importancia a las categorías diagnósticas específicas de las enfermedades mentales y al concepto del diagnóstico doble (conocido también como comorbilidad o trastornos concurrentes). Aunque esos términos se popularizaron apenas en la década de 1980, los profesionales de la salud mental habían reconocido años atrás la coexistencia del abuso de las drogas y de la enfermedad mental y sabían que era poco probable que los esfuerzos para tratar la adicción sin corregir la enfermedad mental de base pudieran surtir efecto.

Drogas para tratar drogas

La búsqueda de medicamentos para tratar la adicción dio paso al surgimiento de tres sustancias químicas de efectos muy diferentes: el Antabuse (disulfram), la metadona y el LSD. El disulfram, derivado de un químico utilizado para fabricar caucho sintético, demostró interferir con el metabolismo normal del alcohol y generar una reacción tóxica. La persona que bebía bajo el efecto del Antabuse experimentaba dolores de cabeza, náusea, vómito, rubores, dificultad para respirar, debilidad, mareo, visión borrosa, confusión y podía llegar a morir. En los casos de personas que no podían suspender la bebida por su cuenta, el Antabuse servía de disuasión suficiente para vencer la tentación.

La metadona, un descubrimiento de los alemanes, se utilizó como sustituto de acción prolongada para la heroína y la morfina, puesto que prevenía los síntomas de la abstinencia sin alterar la conciencia. A principios de la década de 1970, durante la administración del presidente Nixon, se introdujo la metadona a gran escala y se crearon centros de tratamiento comunitario basados en ella, para controlar el comportamiento criminal pero también como método compasivo para manejar la adicción a los narcóticos. Se demostró que el tratamiento de mantenimiento con metadona reducía en dos terceras partes la mortalidad entre los usuarios de la heroína y le ahorraba a la sociedad más de cuatro dólares en costos médicos y legales por cada dólar gastado. La idea de mantener a las personas medicadas indefinidamente era tan polémica en ese entonces como lo es ahora, aunque los datos demuestran que los usuarios de la metadona viven una vida más productiva y funcionan mejor en sociedad.

Albert Hoffman, un químico suizo, sintetizó por accidente el ácido lisérgico (LSD) en 1938. Por su potente efecto psicoactivo, los profesionales de la salud mental utilizaron el LSD inicialmente para mejorar la visualización durante la terapia, y posteriormente se utilizó para tratar la adicción al alcohol y a las drogas. Los psiquiatras de British Columbia describieron los efectos benéficos de los viajes controlados con LSD en un artículo publicado en 1961, en el cual reportaban que la mitad de las personas con un grado severo de alcoholismo pudieron erradicar la bebida o reducirla drásticamente durante un período de seguimiento de nueve meses. Cuando el LSD se filtró del ámbito médico y académico para convertirse en la droga más prominente de la contracultura, las restricciones legales frenaron la mayoría de las aplicaciones científicas y terapéuticas en los Estados Unidos.

La adicción en el siglo XXI

Los debates continúan. ¿La adicción es una debilidad de carácter o una enfermedad biológica? ¿La abstinencia es total el único objetivo aceptable o podría pensarse también en el concepto de reducir el daño? Los enfoques religiosos, espirituales y seculares tienen sus proponentes entusiastas, pero hay pocos datos científicos de largo plazo que nos permitan ver a través de la polvareda generada por tanto fervor. En un estudio realizado en 1997, se asignaron aleatoriamente más de 1700 personas alcohólicas a uno de tres grupos de tratamiento: un tratamiento basado en los doce pasos de los AA, una terapia conductual cognoscitiva o una terapia de motivación. Un año después de terminar el programa, todos los grupos habían mejorado, con un 80% de abstinencia durante un 80% de los días. El 35% de las personas que participaron en el programa como internos seguían siendo totalmente abstemias un año después, mientras que la cifra era de apenas un 20% en el caso de quienes participaron en programas ambulatorios. Se encontraron pocas diferencias significativas entre los tres enfoques y los resultados no fueron sustancialmente mejores en los casos en que se había buscado compatibilidad entre el programa y los problemas particulares de la persona. No hubo "grupo placebo", de tal manera que el estudio no pudo determinar de manera fiable si cualquier forma de tratamiento era mejor que nada.

Aunque las consecuencias de la adicción a las drogas y el alcohol en general se consideran más graves, la búsqueda de la sobriedad es análoga a los esfuerzos de millones de personas que tratan de alcanzar su peso ideal. Constantemente se promueven nuevas dietas y, aunque algunas personas pueden obtener buenos resultados durante un tiempo, la mayoría recuperan el peso perdido y caen en el círculo vicioso del éxito y la recaída.

Nuestra experiencia nos ha llevado a creer que las personas pueden cambiar. Los seres humanos poseemos el don del libre albedrío, que nos ayuda a escapar de la prisión del condicionamiento y a expresar nuestros talentos únicos en el mundo. Esperamos que el enfoque presentado en este libro sea útil. Los principios que aquí ofrecemos son los mismos que han sido benéficos para nosotros en nuestra propia vida. Los compartimos con la única intención de aliviar el sufrimiento de los demás seres humanos que anhelan lo mismo que nosotros: la libertad, el amor, la vitalidad, el significado y el propósito en la vida.

Recursos profesionales

Para información sobre los programas y servicios ofrecidos por el **Centro Chopra para el Bienestar,** visite www.chopra.com/freedom o llame al 888-424-6772 en los Estados Unidos.

Notas

Introducción

1. Huxley, A., *Las puertas de la percepción,* Buenos Aires, Sudamericana, 2001.

Capítulo 1 - Imagine su vida sin adicciones

1. *Los Upanishads: la ciencia secreta de los Brahmanes.*

Capítulo 2 - Amplíe sus pasos hacia la libertad

1. Alcoholics Anonymous World Service, Inc. *Alcoholics Anonymous: The Story of How Many Thousands of Men and Women Have Recovered from Alcoholism,* cuarta edición, Nueva York, 2001.
2. Foundation for Inner Peace, *Un curso de milagros,* Mill Valley, CA, Viking Adult, 1996.
3. Ladinsky, D., *I Heard God Laughing.* Walnut Creek, CA, Sufism Reoriented, 1996.
4. Ruiz, D.M., *Los cuatro acuerdos.* San Rafael, CA, Amber-Allen, 1999.
5. Kazantzakis, N., *Zorba el griego.* Barcelona, Círculo de lectores, 1986.

Capítulo 3 – El poder del silencio

1. Keefer, L., y E.B. Blanchard, "A One-Year Follow-Up of Relaxation Response Meditation as a Treatment for Irritable Bowel Syndrome", *Behavior Research and Therapy* 40 (2002), 541-46.
2. Astin, J.A., "Mind-Body Therapies for the Management of Pain", *Clinical Journal of Pain* 20 (2004), 27-32.
3. Davidson, R.J., J. Kabat-Zinn y colaboradores, "Alterations in Brain and Immune Function Produced by Mindfulness Meditation", *Psychosomatic Medicine* 65 (2003), 564-70.
4. Barnes, V.A., H.C. Davis et al., "Impact of Meditation on Resting and Ambulatory Blood Pressure and Heart Rate in Youth", *Psychosomatic Medicine* 66 (2004), 909-14.
5. Hill, M., R. Weber, y S. Werner, "The Heart-Mind Connection", *Behavioral Health Care* 26 (2006), 30-32.
6. Creamer, P., C.C. Singh et al., "Sustained Improvement Produced by Nonpharmacologic Intervention in Fibromyalgia: Results of a Pilot Study", *Arthritis Care Research* 13 (2000), 198-204.
7. Ott, M.J., R.L. Norris, y S.M. Bauer-Wu, "Mindfulness Meditation for Oncology Patients: A Discussion and Critical Review", *Integrative Cancer Therapies* 5 (2006), 98-108.
8. Lee, S.H., S.C. Ahn et al., "Effectiveness of a Meditation-Based Stress Management Program as an Adjunct to Pharmacotherapy in Patients with Anxiety Disorder", *Journal of Psychosomatic Research* 62 (2007), 189-95.
9. Sephton, S.E., P. Salmon et al., "Mindfulness Meditation Alleviates Depressive Symptoms in Women with Fibromyalgia: Results of a Randomized Clinical Trial", *Arthritis and Rheumatology* 57 (2007), 77-85.
10. Para buscar un instructor certificado por el Centro Chopra en meditación con sonidos primordiales, consulte en www.chopra.com/instructors/.

Capítulo 4 – Desintoxique su cuerpo, su mente y su alma

1. Bloedon, L.T., y E.O. Szapary, "Flaxseed and Cardiovascular Risk", *Nutrition Review* 62 (2004), 18-27.
2. Coulman, K.D., Z. Liu et al., "Whole Sesame Seed Is as Rich a Source of Mammalian Lignan Precursors as Whole Flaxseed", *Nutrition and Cancer* 52 (2005), 156-65.
3. Naik, G.H., K.I. Priyadarsini et al., "In Vitro Antioxidant Studies and Free Radical Reactions of Triphala: An Ayurvedic Formulation and Its Constituents", *Phytotherapy Research* 19 (2005), 582-86.
4. Sandhya, T., K.M. Lathika et al., "Potential of Traditional Ayurvedic Formulation, Triphala, as a Novel Anticancer Drug", *Cancer Letters* 231 (2006), 206-14.
5. Heatley, D.G., K.E. McConnell et al., "Nasal Irrigation for the Alleviation of Sinonasal Symptoms", *Otolaryngology-Head and Neck Surgery* 125 (2001), 44-48.
6. Fuentes sobre tisanas ayurvédicas de desintoxicación, triphala, y recipientes para el neti: la triphala (o trifala) se consigue en la mayoría de las tiendas de productos naturistas, donde también hay recipientes para el neti de diversas formas y materiales. También puede encontrar estas ayudas de desintoxicación en el sitio virtual del Centro Chopra: http://store.chopra.com/.

Capítulo 5 – Alimente su cuerpo, nutra su mente

1. Vanderark, S.D., y D. Ely. "Biochemical and Galvanic Skin Responses to Music Stimuli by College Students in Biology and Music", *Perceptual and Motor Skills* 74 (1992), 1079-90.
2. Hirokawa, E., y H. Ohira, "The Effects of Music Listening After a Stressful Task on Immune Functions, Neuroendocrine Responses and Emotional States in College Students", *Journal of Music Therapy* 40 (2003), 189-211.
3. Música sugerida para nutrir el cuerpo, la mente y el alma:

Buddha Café. Varios artistas, Intent City, 2001.
Embrace. Deva Premal, White Swan, 2002.
Feet in the Soil. James Asher, New Earth Records, 2002.
A Gift of Love: I y II. Deepak y Amigos, Rasa Music, 1998, 2002.
Magic of Healing Music. Bruce y Brian Becvar, Shining Star, 1998.
Relax 2: Sublime Music for Reading and Lounging, varios artistas, Rasa Music, 2004.
The Soul of Healing Meditations. Deepak Chopra, Rasa Music, 2001.

4. Field T.M., S.M. Schanberg et al., "Tactile/Kinesthetic Stimulation Effects on Preterm Neonates", *Pediatrics* 77 (1986), 654-58.
5. Billhult A., I. Bergbom, y E. Stener-Victorin, "Massage Relieves Nausea in Women with Breast Cancer Who Are Undergoing Chemotherapy", *Journal of Alternative and Complementary Medicine* 13 (2007), 53-58.
6. Ironson, G., T. Fields et al., "Massage Therapy is Associated with Enhancement of the Immune System's Cytotoxic Capacity", *International Journal of Neuroscience* (1996), 84, 205-17.
7. Perlman A.I., A. Sabina et al., "Massage Therapy for Osteoarthritis of the Knee", *Archives of Internal Medicine* 166 (2006), 2533-38.
8. McClelland, D.C. "The Effect of Motivational Arousal Through Films on Salivary Immunoglobulin A." *Psychology and Health* 2 (1988), 31-52.
9. Kumari, T., R. Fujiwara et al., "Effects of Citrus Fragrance on Immune Function and Depressive States", *Neuroimmunomodulation* 2 (1995), 174-80.
10. Edris A.E., "Pharmaceutical and Therapeutic Potential of Essential Oils and Their Individual Volatile Constituents: A Review", *Phytotherapy Research* (2007).

11. Shibata H., R. Fujiwara et al., "Restoration of Immune Function by Olfactory Stimulation with Fragrance", En Schmoll, H., U. Tewes y N.P. Plotnikoff, eds., *Psychoneuroimmunology,* Lewinston, NY, Hogrefe & Huber Publishers, 1992, 161-71.

Capítulo 7 – La emancipación emocional

1. Ladinsky, D. *The Subject Tonight Is Love: Sixty Wild and Sweet Poems of Hafiz,* Nueva York, Viking Penguin, 2003.

Conclusión – La salida de la prisión

1. Barks, C., y M. Greene. *The Illuminated Rumi,* Nueva York, Broadway Books, 1997.

Sobre el doctor David Simon

El doctor **David Simon** es neurólogo certificado y pionero en el campo médico. Su misión personal es facilitar la integración entre la medicina convencional y las medicinas complementarias en el siglo XXI. Desde que se asoció con el doctor Deepak Chopra en la década de 1980, el doctor Simon se ha convertido en una de las principales autoridades del país en el tema del uso eficaz y apropiado de las prácticas integrales de salud, específicamente el ayurveda, la tradición médica milenaria de la India. En su calidad de director médico del Centro Chopra para el Bienestar en Carlsbad, California, el doctor Simon se ha dedicado a catalizar la evolución del sistema de salud existente hacia un "sistema de sanación" que abarque los aspectos emocionales, espirituales y físicos de la salud humana. Es autor de *The Ten Commitments* y dicta un sinnúmero de conferencias sobre salud, sanación y equilibrio en la vida.

Sobre el doctor Deepak Chopra

Reconocido como uno de los grandes líderes mundiales en el campo de la medicina de la mente y el cuerpo, el doctor **Deepak Chopra** continúa aportando nuevas luces para transformar nuestra forma de entender la salud. En 1995, con la creación del Centro Chopra para el Bienestar en California, Chopra estableció un vehículo formal para difundir su método de sanación apoyado en la integración de lo mejor de la medicina occidental con las tradiciones de curación natural. El doctor Chopra es el Director de Educación del Centro Chopra, que ofrece programas de capacitación en medicina de la mente y el cuerpo, tal como el programa de Salud Perfecta para manejar la vida y el taller del Viaje hacia la Sanación, en el cual se fusionan la ciencia moderna y el ayurveda. A través de su asociación con el doctor David Simon y muchos otros profesionales de la salud expertos en los métodos convencionales y también en las artes de la medicina complementaria, el trabajo del doctor Chopra está cambiando la forma como el mundo ve el bienestar físico, mental, emocional, espiritual y social.